Toute la folie du monde

Francine Godin

Toute la folie du monde

Témoignage d'une survivante

Liber

Les éditions Liber reçoivent des subventions du Conseil des arts du Canada, du ministère du Patrimoine canadien (Fonds du livre du Canada), de la SODEC (programme d'aide à l'édition), et participent au programme de crédit d'impôt-Gestion SODEC pour l'édition de livres du gouvernement du Québec.

Illustration de la page couverture :
Diane Dubeau, *Sans titre*, 66 x 45 cm,
techniques mixtes sur papier, 2003.

Dépôt légal : 4ᵉ trimestre 2014
Bibliothèque et archives nationales du Québec

© Liber, Montréal, 2014
ISBN 978-2-89578-479-1
e-ISBN 978-2-89578-480-7

Pour mon fils, Dominique

À la mémoire de mon père, André Godin

À mon psychanalyste,
qui m'a appris ce que l'amour veut dire :
« ce qui est en toi plus qu'en toi
sans que tu le saches ».

PRÉAMBULE
Avant la traversée du temps

Ai-je déjà existé aux yeux de mon père ? Je n'en ai aucun souvenir, mais combien il a manqué à ma vue, ce père qui ne pouvait me voir tant il était habité par quelque chose de terrible, une chose qui, toujours de manière inattendue, venait le foudroyer. C'était souvent devant le miroir, lorsqu'il se rasait, en apparence tranquille, que cette chose surgissait pour le terrasser, subitement et avec tant de violence qu'il se mettait à sauter et à hurler pendant quelques secondes ou peut-être quelques minutes ; puis la chose disparaissait aussi brusquement qu'elle était apparue. Elle surgissait de nouveau lorsqu'il se berçait, il aimait tant se bercer mon père, pendant des heures, le regard toujours dans un ailleurs jusqu'au moment où la chose revenait, l'immobilisant dans son mouvement de balancier, au beau milieu, en suspension du temps. Dans ces moments-là, mon cœur s'arrêtait de vivre.

Était-ce pour tuer la chose qu'un jour je lui volai son arme de policier, vers l'âge de cinq ans? La punition que j'espérais tant n'étant pas venue, rien donc ne pouvait me signifier que j'existais à ses yeux. Quelle horrible douleur habitait mon père? Quelle était cette chose qui le terrorisait?

Ce n'est qu'à l'âge de seize ou dix-sept ans qu'il jeta un coup d'œil sur moi, peut-être parce que j'étais celle à qui l'on donna l'incroyable charge de le délivrer de son hôpital de fous, signer sa décharge comme on décharge quelqu'un de la prison. Le Québec sortait brutalement de sa grande noirceur, au début des années 1960, et mettait tous ses fous dehors au nom de la liberté, celle d'assumer leur folie. Dans l'interminable parcours allant de son village hôpital, aux limites de la ville, jusqu'à la maison, assis côte à côte dans cet autobus, j'étais coupable de mon père, ne pouvant savoir que je le tenais pour coupable de mon abandon.

À l'adolescence, cette culpabilité s'était cristallisée dans mon corps, comme s'infiltre insidieusement un mal, petit à petit, de telle sorte que le corps lui-même était devenu une chose repoussante, dégoûtante. La chose qui habitait mon père m'avait-elle infectée? Chose certaine, les rares fois où mon père jetait un regard sur moi, je me sentais transparente et transpercée de la tête aux pieds. Les paranoïaques voient ce que les autres ne voient pas, ils voient l'invisible. Moi qui avais tant quêté son regard, désormais je le fuyais.

CHAPITRE 1

La guerre
Cameroun 1984-1987

La sécheresse de 1984 avait gagné une partie de la province de l'extrême nord du pays. Dans la Land Cruiser qui me transportait vers la frontière tchadienne, du côté du Logone-et-Chari, on pouvait voir des cadavres d'animaux suivis de ceux des vieillards qui jalonnaient le parcours vers la préfecture où je me dirigeais avec les autorités camerounaises afin d'établir un plan d'urgence. En ai-je vu un peu, beaucoup? Je ne saurais le dire car depuis longtemps j'étais devenue experte dans l'art de voir sans voir, d'être là sans y être, l'art de me déconnecter de la réalité tout en saisissant l'essentiel de ce qu'il fallait savoir pour survivre.

Le seul souvenir que j'ai gardé de cette mission est fixé sur une photo, mais tout aussi bien imprimé dans ma mémoire, si obscène humainement parlant et si éloquente politiquement. Autour d'une table rectangulaire était distribuée toute la hiérarchie du système (le grand capital étant invisible comme il se doit) : moi assise au centre, représentant le Programme alimentaire mondial (PAM) des Nations unies, le représentant du ministère de l'Agriculture, le gouverneur de la province, le préfet du département et, bien sûr, l'autorité traditionnelle, le sultan, tous autour de cette table surchargée de nourriture, un vrai repas festif en ces temps de famine, puis, plus loin, formant un cercle immense, des éleveurs surtout et des paysans affamés tenus en rang serré par les gardes du corps traditionnels, distribuant des coups de fouet ici et là. Quelle honte et quelle culpabilité !

Comment en suis-je venue à pratiquer l'ironie devant le tragique ? Est-ce la trop grande fréquentation des multiples centres de lépreux, d'enfants abandonnés dans les orphelinats, ceux mal nourris dans les écoles, ou les petits ventres gonflés par la malnutrition dans les centres de santé maternelle et infantile ? Est-ce la vue de ces femmes défrichant la terre, enfant noué au dos, sous un soleil satanique, de tous ces travailleurs semi-esclaves dans les plantations de caoutchouc et de café, ou encore ceux déracinés que l'on avait transportés sur les nouvelles parcelles de riziculture ? Sillonnant toutes les routes et les pistes du Cameroun, d'est en ouest, du nord au sud, où la beauté et la diversité des paysages contrastaient si clairement avec l'insupportable paysage humain, comment continuer de rêver sa vie autrement qu'en pratiquant la négation indirecte ?

Une lettre circulaire envoyée à mes amies montréalaises, datée du 3 mai 1985, relate de la manière

suivante ma visite au camp des réfugiés tchadiens
dans la province de l'extrême nord.

Un ami est passé à l'Ouest… J'en profite pour vous
raconter comment j'ai désamorcé une rébellion à l'extrême
nord Cameroun… L'affaire est la suivante. Le PAM assiste
à ne rien faire les réfugiés du Haut-Commissariat des
Nations unies pour les réfugiés (HCR) suivant des normes
nutritives déterminées internationalement par les trop
nourris qui pensent que les réfugiés devraient garder leur
ligne : 400 g de riz, 30 g d'huile, 40 g de haricots, 40 g de
sardines par jour par ventre affamé… Récemment le
PAM et le HCR ont décidé, toujours sur la base de leurs
bons principes, qu'il ne faut pas assister les réfugiés trop
longtemps car ils risquent de prendre goût aux sardines ;
ces fainéants doivent donc se mettre au travail s'ils veulent
avoir leur fast-food à domicile. Par ailleurs, les réfugiés
ayant reçu des terres à cultiver devront manger leur mil
et oublier les sardines. Grand émoi et mouvement de
colère chez les réfugiés qui ont écrit au président de la
république pour lui dire que le PAM leur enlevait le
« pain » de la bouche.

Je débarque au camp avec ma collègue du HCR,
laquelle avait pris soin de me faire un bon briefing sur
la situation. Un peu exaspérée, cette brave fille m'a
décrit la vie au camp de manière idyllique, du genre :
construisez deux piscines et vous aurez le Club Med.
Dès mon arrivée sur les lieux, j'ai pu en effet constater
qu'il y avait de beaux corps sveltes, bien bronzés, portant
le string tchadien, mais ces vacanciers semblaient plus
occupés à pratiquer la self-survie que le surf.

À l'assemblée à laquelle nous étions convoquées, il
y avait les représentants des réfugiés, soit beaucoup de

monde. J'ai immédiatement compris les raisons intes-
tines de la guerre civile au Tchad : 30 représentants
pour 10 000 personnes, ou, plus précisément pour 2 000
mâles (si on exclut comme il se doit les femmes et les
enfants) représentant le Nord et le Sud, les fractions,
les factions et les fragmentations locales. Ma collègue et
moi, obligées de défendre l'honneur des Nations unies
en même temps que celui des femmes, avons opposé un
front commun à ces misogynes scindés.

Intuitive comme toujours, j'avais par ailleurs com-
pris que je pesais plus dans cette négociation que ma
maigrelette collègue française, ce qui va de soi puisque
je représente l'Alimentation mondiale… J'ai donc tenu
tête à ces contestataires mal famés, lesquels m'ont bien
rendu la monnaie de ma pièce. Ils m'ont en effet invitée
à passer la nuit au camp pour déguster le repas PAM et
peut-être quelques autres spécialités régionales, ce qui
est doublement vicieux lorsqu'on sait que les Tchadiens
aiment les femmes voluptueuses. L'affaire s'est bien
terminée. J'ai échappé au repas PAM et au sida en même
temps que j'ai eu droit à un long discours de remercie-
ments pour la contribution que j'apporte à la recons-
truction du Tchad. Voilà, Mesdames, comment avec
une super-coupe lionne et un ensemble panthère les
femmes font l'histoire.

Cette narration ironique parle d'elle-même, tout
comme la suite, écrite plusieurs mois plus tard, tra-
duisant la même inflation imaginaire.

Après l'épisode du camp, j'avais bien besoin de
changer d'air. Aussi, j'ai une autre histoire d'El Hadji
à vous servir, car voyez-vous, je suis revenue ou plutôt

venue à la tradition. D'abord une petite parenthèse pour vous expliquer pourquoi, une fois de plus, je rejoins l'avant-garde des mouvements féministes. L'an dernier, après une tournée d'un mois avec un phallo du ministère de la Condition féminine dans la province de l'extrême nord, j'étais arrivée à la conclusion que la condition des femmes musulmanes était bien meilleure que celle des chrétiennes / païennes. Ne préféreriez-vous pas être engraissée dans un saré (concession familiale) avec pour seule tâche de broder le boubou de votre époux plutôt que de piocher au champ, étant entendu que dans les deux cas vous êtes privées de toute forme de jouissance et de liberté ? Certaines diront : la païenne a au moins la liberté d'exercice au champ. Je répondrai que rien n'empêche la musulmane de jogger dans son saré.

En relisant des décennies plus tard les lettres qui me furent remises par ma copine sur ces années camerounaises, je ne peux qu'être saisie de la vaste comédie humaine que je mettais en scène, exagérant à peine le trait pour m'en distancier et surtout la manière dont je me mettais en scène moi-même.

Un meilleur aperçu du bal masqué auquel je me livrais est retransmis dans cette lettre écrite en avril 1985 lors de l'une de mes missions portuaires à Douala :

Un lion est entré dans ma vie. Du point de vue de l'astrologie, les pronostics sont bons. Du point de vue de la psychanalyse, le rugissant risque de se mordre la queue.

Il s'appelle Paul, renforçant ainsi les statistiques sur le doublage de mes hommes : Paul 1, Paul 2, François 1, François 2, Robert 1, Robert 2, John 1,

John 2, Justin 1, Justin 2... Il n'y a que le cher Narcisse qui n'a pas son double si ce n'est moi-même. Je vous entends déjà dire qu'à l'étendue de mes expériences, il risque même d'y avoir une trilogie et, ajouterez-vous d'un sourire narquois : « C'est certainement l'homme de ta vie. » Eh bien, défiant les lois de la déraison, je vous répondrai très sincèrement, oui.

Le scénario, il est vrai, est du type bien connu : rencontre foudroyante accompagnée d'une détention projetant les deux protagonistes sur le champ du lit, envolées célestes d'autant plus puissantes que le projectile l'est.

— L'homme découvre la femme de sa vie, synthèse de toutes les femmes.

— La femme confirme ce qui lui paraît évident.

La suite du scénario est aussi bien connue pour ne pas l'évoquer. J'ajouterais deux considérations destinées à convaincre les sceptiques que vous êtes :

1. L'homme de ma vie possède une puissance de frappe jamais égalée, ce qui n'est pas peu dire ;

2. Au cas où cet argument serait du déjà entendu, il est célibataire, 45 ans, ancien chef de la mission économique au Canada, homme d'affaires, et possède une forte volonté de puissance. Bref, il est à la puissance 2, ou, si vous préférez, c'est une superpuissance...

Mieux vaut résumer ces trois années camerounaises en disant qu'elles sont parmi les plus folles de ma vie sur le plan sexuel. J'avais un homme dans chaque région du pays, et ce toutes nationalités confondues. Comme si les dix provinces que comptait alors le Cameroun ne suffisaient pas, il fallait ajouter ceux hors pays, un Béninois au Gabon et un autre au Bénin, sans compter les intermittents en France ou ailleurs. À l'aéroport, il m'arrivait d'en déposer un pour accueillir l'autre.

Que l'on m'ait surnommée « la terreur du Cameroun » est bien une confirmation de la cannibale que j'étais : que je te mange ou que tu me manges. Tristes tropiques ! Même si une note mélancolique ponctuait souvent mes lettres, attestant ainsi d'une certaine prise sur la réalité, cette désopilante comédie n'était qu'un jeu de miroir destiné à renvoyer aux autres mes illusions de toute-puissance, pour mieux y croire moi-même. Derrière ces illusions se rejouait toujours le même trauma : abandonner / être abandonnée, comme si cette plaie d'abandon exigeait sans cesse d'être colmatée.

Comment ai-je trouvé le temps, toute surchargée que j'étais par mes lourdes responsabilités, allant de la représentation diplomatique à la supervision des projets sur le terrain, en passant par la gestion parallèle de mes amours, pour ramener les huit cents pages de ma thèse à trois cents aux fins de publication[1], et surtout pour produire un article exhaustif portant sur le vaste projet de riziculture irriguée à l'extrême nord ? Et pourquoi m'imposer cette autre recherche qui ne m'était d'aucune utilité professionnelle, la preuve étant qu'elle sera publiée sous un pseudonyme[2]. Qu'est-ce qui motivait cette passion

---

1. F. Godin, *Bénin : 1972-1982. La logique de l'État africain*, Paris, L'Harmattan, 1984.

2. Dominique Claude (Dominique étant le nom de mon fils et Claude celui de ma sœur), « Production and commercialization of rice in Cameroon : the Semry case », dans B. Campbell et J. Loxley (dir.), *Structural Adjustment in Africa*, Londres, Macmillan, 1991.

de savoir dont le but était toujours la dénonciation de tous les pouvoirs institués ?

Mon père est mort le 9 septembre 1991, la même date que Lacan à une décennie près, soit 1981 (un chiffre). Aussi surprenant que ce rapprochement puisse paraître, mon père aussi était une sorte de génie visionnaire, même s'il ne cherchait pas l'objet petit *a*. Je dirais plutôt que c'est celui-ci qui semblait le chercher. Et puis mon père, les rares fois où il s'exprimait, le faisait toujours de manière énigmatique.

Et c'est à moi qu'il s'est adressé, sentant venir sa mort, trois jours auparavant, en m'appelant à New York, où j'étais en poste depuis un an pour une autre agence des Nations unies : « Il faut absolument que je vois ta sœur Diane et ta mère. » J'ai compris l'importance de cet appel, lui qui n'appelait jamais. Sachant que Diane était sa préférée et que ma mère était en quelque sorte « sa » mère, je ne les ai pas alertées afin de les protéger, l'une, enfermée dans sa psychose qu'elle traitait à l'alcool, et l'autre déjà enfoncée dans l'oubli de sa vie de chien. N'est-ce pas moi que je voulais protéger de l'impossible à entendre ?

Le temps d'accourir à Montréal à l'annonce de sa mort, il était déjà trop tard pour le voir, la porte avait été scellée, accès interdit. Ainsi, même dans sa mort, ce père si présent et si absent, ne pourrait me voir. Il n'avait que soixante-huit ans, ce 9 septembre 1991, et je me souviens encore du film que j'avais vu la veille à New York, *Thelma et Louise,* dont le dénouement est inoubliable : deux femmes dans leur voiture foncent tout droit dans le ravin.

Vais-je mourir moi aussi, en octobre prochain lorsque j'aurai soixante-huit ans? Peut-être, puisque je suis là malade et fumant, affectée d'une bronchite que j'entretiens depuis plus de vingt ans. Un jour 9 peut-être, comme mon père, ma mère et ma sœur aînée? L'ombre de la mort m'a accompagnée toute ma vie, c'est le sort de tout zombie. À seize ans, j'ai tenté de mourir, à vingt-cinq, j'allais mourir, à trente... ainsi de suite. S'il m'arrivait de l'oublier, en général dans des petits moments de bonheurs éphémères, la mort, elle, réapparaissait immédiatement. Elle était là, à Dakar, entrelacée dans les bras de mon beau prince peul, Karim il s'appelait; elle était là aussi dans mes multiples lunes de miel avec Albert, à Nairobi, Maputo, New York, Rome, Belgique, ce Zaïrois que ses collègues appelait prince Albert et avec qui, pour la première fois, il m'était arrivé de penser que nous allions vieillir ensemble : « Profites-en, soufflait à l'oreille cette voix sournoise, c'est ton dernier moment. »

J'ai rencontré des saintes au Cameroun, au nord-ouest de Yaoundé. C'était dans une léproserie, l'un de ces centres où j'effectuais des visites de supervision et d'évaluation de l'aide alimentaire. J'avais en horreur les léproseries, il va de soi, car les lépreux blanchis tiennent toujours à vous tendre la main, c'est-à-dire leur moignon. La léproserie était tenue par des religieuses italiennes qui avaient rendu leur dignité à ces parias du monde, souvent tenus coupables de leur mal par certaines croyances locales. Cette léproserie accueillaient les plus amputés et pourtant chacun de ces mutilés trouvait à se rendre utile à sa façon; ainsi, l'un, sans bras, tissait avec ses pieds sur un métier posé par terre, l'autre utilisait sa moitié de bras et sa bouche pour faire je ne me souviens plus quoi. La léproserie faisait des miracles avec presque rien : elle visait une certaine autosuffisance, cultivant son champ vivrier, vendant quelques petites productions artisanales, et disposait d'un puits et d'un groupe électrogène, bricolant de plus les orthèses pour ses mutilés. Les murs avaient été blanchis, tout comme les lépreux, si fiers de se compter parmi les humains. De tous les centres que j'ai visités, jamais je n'ai senti mon petit « moi » aussi misérable que là.

L'image de la responsable me hante encore : ce que j'ai vu, au-delà de l'individu de la sociologie, au-delà du sujet de la science politique, laissant pour le moment en plan le sujet de la psychanalyse, c'est la personne, celle qui rayonne d'une flamme intérieure, dirait Merleau-Ponty. J'ai peur d'ouvrir mon regard.

Je l'observais, cette sœur, moi, encore jeune et jolie, parée de mes vêtements griffés, juchée sur des talons, plantée là dans une luminosité artificielle, l'âme si sombre, alors qu'il y avait ici, devant moi, en toute apparence, les plus miséreux du monde qui me regardaient avec un petit sourire de gratitude dans les yeux ; et la sœur, soudain de me dire, avec ses yeux brillants d'espoir : « Je crois que nous pourrons bientôt nous passer de l'aide du PAM. » Cet épisode-là ne fit pas l'objet d'une mise en scène à mes amies.

C'est toujours au Cameroun qu'un autre éclair m'est apparu. J'allais consulter un psychologue se prétendant psychanalyste, seul psy disponible à Yaoundé, auquel j'étais indifférente au point de ne

plus me souvenir de son nom. (*Il s'appelait Joseph…
je dois retrouver son nom.*) C'est grâce à lui, malgré
tout, que je redécouvris, pour ne pas dire découvris,
que j'avais un fils. « Pourquoi ne le retrouvez-vous
pas ? » Quelle évidence ! Eurêka ! Quelque chose me
tombait sur la tête, il fallait de toute urgence retrouver
ce fils perdu. Enfin, une raison de vivre. Un fils allait
naître ou renaître dans mes fantasmes. L'année 1985
allait être la meilleure année de ma vie, dans l'anti-
cipation de cet « enfant » qui allait enfin donner un
sens à mon existence. Les fantasmes ont d'autant plus
d'épaisseur que le manque est grand.

J'ai toujours détesté les enfants. Comment
peut-on les aimer lorsqu'on nous a volé notre propre
enfance au point de penser que naître c'est naître
pour la souffrance en attendant sa mort différée ?
Comment expliquer mon coup de foudre pour un
bébé bamiléké dans un orphelinat de cette région
prospère, que l'on appelle la Suisse de l'Afrique, qui
produit de beaux gros poupons ? Ce bébé dodu de
quelque six mois eut le coup de foudre pour moi, le
coup de foudre étant toujours réciproque. Il me ten-
dait les bras en me souriant, cet enfant qui ne semblait
pas avoir connu la trahison de l'amour. Pour la première fois de ma vie, et la dernière, j'ai voulu prendre
cet enfant qui agitait ses bras vers moi, me gazouillait
bien des choses que je comprenais. Je me souviens
encore de ses yeux noirs, ce noir de jais velouté si
typique des Bamilékés… irrésistible beauté des yeux
des Bamilékés, ceux que l'on surnomme les Juifs de
l'Afrique. J'ai fait quelques pas, pris le temps de réflé-
chir à ma condition d'éternelle nomade, aussi bien
physique qu'affective, et la conclusion s'imposa : cet

enfant risquait de ne pas être aimé suffisamment. La nounou, la vraie maman, je savais qu'elle n'existait pas. Et puis ma mère avait dit un jour : «Mes filles, n'ayez jamais d'enfant, ne vous mariez pas, tôt ou tard un homme vous plantera un couteau dans le dos.» J'ai encore l'infinie tristesse d'avoir laissé cet enfant à l'orphelinat. Qu'en est-il advenu ?

CHAPITRE 2

Le paradis
Mauritanie 1971-1973

En atterrissant en terres africaines pour la première fois à l'âge de vingt-cinq ans, je bénissais le Dieu que j'avais depuis longtemps renié. J'étais sauvée... du moins pour deux ans. Malgré le vent torride et sec qui me brûlait le visage à l'arrivée, il devait bien faire 45 degrés en ce mois de juillet, malgré l'air poussiéreux qui m'éclaboussait la vue, j'arrivais enfin dans un ailleurs.

Nouakchott à cette époque n'avait rien d'une capitale, même africaine, un vaste village plutôt et l'unique bâtiment dominant la ville était la mosquée construite par l'Arabie saoudite. La seule route goudronnée servait aussi bien aux chameaux, aux chèvres et autres mammifères ruminants qu'aux quelques voitures qui circulaient, de telle sorte que la confusion régna le jour où un feu de circulation fut installé. M'eût-on larguée n'importe où en Afrique, j'étais au paradis, enfin victorieuse, réalisant par je ne sais quelle magie un bref rêve enfoui dans les profondeurs de la mémoire, celui de devenir missionnaire en Afrique.

Que venais-je donc faire là ? Je ne m'en souciais nullement : un vague contrat d'assistante administrative en poche pour deux ans, octroyé par le Centre de développement économique de l'université de Montréal, sous-traitant du Programme des Nations unies pour le développement (PNUD), chargé d'élaborer le plan quinquennal (à moins que ce soit quadriennal) de la Mauritanie. Nul besoin de mes deux années d'études de science politique pour comprendre le caractère saugrenu de cette mission de planification : comment des étrangers québécois — agronome, économiste, ingénieur-économiste, spécialiste en finance publique, sans compter le chef de mission —, tous excellents au demeurant, ne connaissant rien aux réalités de la Mauritanie, pouvaient prétendre orienter l'avenir de ce pays d'autant plus complexe qu'artificiel, divisé entre les Maures, pratiquant traditionnellement la transhumance est-ouest, détenant le pouvoir, et les noirs Peuls, concentrés le long du fleuve Sénégal, dont une partie avaient été convertis à l'agriculture ? Une violente révolte sociale avait d'ailleurs secoué le pays en 1966 opposant ces deux grands groupes ethniques.

À vrai dire, tout cela m'importait plus ou moins, l'incohérence du monde allant de soi, je continuais de nager dans mes rêves, toujours les mêmes, trouver l'amour de ma vie. Je ne m'attendais pas à ce qu'il me bondisse dessus aussi rapidement. À peine mes valises déposées dans le seul et charmant petit hôtel de la place, que le chef de mission, après un bref repas d'accueil, se mit en tête de me faire passer un questionnaire sur mes orientations politiques. J'étais d'obédience marxiste, ce qui le fit bander immédiatement. C'était un bel Américain, plus âgé que moi d'une vingtaine d'années, économiste chevronné, tendance marxisante. Frédéric déclara : « Tu es ma Rosa Luxemburg », en me projetant sur le lit. Il était attrayant, certes, et bien que mal à l'aise dans cette approche par inversion, l'idée de tirer une double plus-value de la relation n'était pas pour me déplaire. Frédéric sortait son bréviaire de Marx après l'amour : « Je vais parfaire votre éducation politique », avait-il déclaré. Quant à la mission symptomatique pour laquelle nous étions là, elle restait hors propos. Frédéric et sa version de Marx — au moment où Althusser écrivait la véritable en France — durèrent le temps de ma maladie, laquelle fut un peu longue, car je fus frappée, une semaine après, d'une variété d'amibe résistante qui a failli avoir ma peau.

Ces petites séances à vocation thérapeutique prirent fin le jour où sa femme Gertrude, une Allemande sortie tout droit de l'époque du Kaiser, débarqua à l'hôtel pour ramener son mari à l'ordre, au travail et à la maison. Frédéric disparut de ma chambre non sans revenir parfois à la sauvette. Un beau jour, il me fit appeler par sa femme sur « son lit de mort » pour m'annoncer, en présence de celle-ci, qu'il me léguait son testament politique. J'eusse préféré bénéficier de son testament tout court. Un peu décontenancée, bien que déjà familière avec les variations de l'âme humaine, je jouai le jeu. Frédéric se rétablit de son épisode maniaco-dépressif, se

cantonna dans son travail sous l'œil vigilant de
Gertrude, qui assurait elle-même les allers-retours
de son mari au bureau.

Cette belle entrée dans l'univers de la coopération
vint confirmer ma joie d'être ailleurs. Un homme,
peu importe, c'était temporaire par définition, ça
passait, ça s'attardait peut-être et puis, un beau jour,
ça disparaissait sans qu'on sache pourquoi. C'était
comme ça, il fallait en prendre acte et l'acte avait bien
été enregistré.

Frédéric allait très vite être remplacé par un ado-
rable jeune peul à mobylette qui entreprit de me
faire découvrir la ville et ses environs, ce qui fut
assez vite fait, jusqu'au moment où l'avion remplaça
la mobylette grâce à l'arrivée du magnifique
prince Karim, pilote de métier, évinçant ainsi tous
les prétendants au « trône ». Karim avait de la classe,
du style, il était le descendant d'une lignée de chefs
traditionnels dérivant du royaume islamisé toucou-
leur. C'était le grand amour, trop beau pour durer,
mais l'amour dure longtemps…

*L'ombre de ma sœur s'est jetée sur moi dès que je
pris possession de ma jolie villa mauresque. Construite
sous forme rectangulaire, elle se distribuait autour d'un
grand jardin intérieur, à ciel ouvert, sur lequel toutes
les portes de la maison ouvraient : d'un côté, l'immense
salon, de l'autre, les deux chambres et, côté latéral, la
cuisine, la salle de bains et les dépendances. Le jour où
j'emménageai dans cette villa, une intense crise de désespoir me saisit. « Diane, où es-tu ? », criais-je à haute
voix. Chose étrange, je m'agrippais aux murs de la
villa, tout comme ces fous dans l'enfer psychiatrique de*

l'hôpital Saint-Jean-de-Dieu dont l'image m'a tant marquée. Diane, ma sœur aînée, ma sœur dans l'abandon, celle sans doute qui m'a aidée à ne pas devenir tout à fait folle lors de notre internement dans un couvent. Diane n'était pourtant pas maternelle, je dirais même qu'elle était en rivalité avec cette usurpatrice que j'étais, venue lui ravir sa place d'enfant unique. Pourquoi n'était-elle pas là ? Et puis je me mis à écrire quelques slogans révolutionnaires et à dessiner sur les murs de mon salon mauresque, à les barbouiller à vrai dire. Le mur du silence. Je parlais aux murs.

(Qu'elle vienne cette mort, qu'elle se présente, je veux la voir en face, je vais la tuer, maintenant, ici, qu'elle se présente à visage découvert, cette lâche ! Lâche es-tu la mort ! J'appelle Emmanuel Levinas comme témoin.)

Mon corps aussi parlait. L'histoire des amibes persistait malgré tous les médicaments et le traitement de cheval que m'avait imposé le médecin militaire de l'hôpital, en désespoir de cause. Acte manqué, bien évidemment : je savais qu'il ne fallait pas manger de laitue non désinfectée, alors pourquoi ne pas y goûter puisque les Français (installés de longue date) en mangeaient ? Ma peau ne valait donc rien ? Les injections sous-cutanées d'un produit utilisé par les vétérinaires provoquaient des sensations de brûlures difficilement supportables et me mirent à plat, de sorte que je fus évacuée sur Dakar où l'on ne put que répéter le même traitement. Est-ce par la grâce de l'amour de Karim, venu me rejoindre à l'hôtel où je crépitais, que je fus sauvée ? L'amour sauve-t-il de la mort ?

Mon rapport au corps et à l'argent fut toujours problématique : l'argent, ce sale argent, je le gaspillais au fur et à mesure, non sans avoir payé mon dû à la famille que j'avais abandonnée à Montréal. Il servait surtout à paraître, l'argent, à vêtir ce corps honteux et encombrant pour parader ; quant au reste, je ne saurais dire ce que j'en faisais. Je n'aimais pas les gens qui l'empilaient, c'était souvent des personnes au cœur sec. L'accumulation du capital n'était donc pas dans mes visées et cette posture n'avait rien d'idéologique. Pourtant, ma plus grande crainte n'était-elle pas de retomber dans la pauvreté où la trahison du père, suis-je tentée d'écrire, nous avait précipités ?

> *La voix de ma mère me manque. Comment ai-je pu oublier la voix de ma mère ? Je l'appelais toujours, ma mère, même dans la Mauritanie de l'époque où les communications coûtaient une fortune. Et à chaque fois, c'était le même petit jeu. Toute ma vie, et jusqu'à sa maladie, je l'appelais, ma mère, c'était un besoin, c'était une contrainte. Une fois la ligne raccrochée, je la rappelais, trouvant toujours un prétexte. L'appeler… la rappeler. Je l'appelle… comme si la ligne avec ma mère avait été à jamais coupée…*

Ce fut durant l'une de mes fréquentes escapades à Dakar, sans doute l'un de ces jours où les vagues de l'âme l'emportent, que j'eus l'idée de me présenter à l'Institut africain de développement économique et de planification des Nations unies (IDEP), que dirigeait Samir Amin, économiste de gauche déjà réputé, dont les travaux s'inscrivaient dans la mouvance amorcée par les Latino-Américains sur le

« développement du sous-développement ». En ces années 1971-1973, Samir Amin écrivait son œuvre majeure, *L'accumulation à l'échelle mondiale,* une brique qui démontrait les mécanismes économiques permettant le transfert de la richesse des pays du Sud vers les pays du Nord, et l'impossibilité subséquente des élites locales ou petites bourgeoises émergentes de se convertir en grande bourgeoisie hégémonique sur leur territoire à ce stade avancé de l'internationalisation du capital, leçon qui me servit plus tard pour comprendre la question nationale au Québec.

Toute cette pensée critique sur le développement m'était inconnue à l'époque où j'entrais dans la grande bibliothèque de l'IDEP, me doutant bien qu'il y avait là quelque chose à découvrir, mais quoi ? Sans le formuler comme je le peux maintenant, l'enjeu de tous ces plans de développement, que l'on distribuait partout en Afrique comme on distribue des petits pains chauds, plans mis en œuvre par des hommes animés apparemment de bonnes intentions, était de créer les conditions de reproduction du capital tout en donnant l'illusion aux classes dirigeantes locales de maîtriser leur devenir.

Mais qu'en était-il de mes propres intentions ? M'identifiant aux victimes, je voulais apparemment comprendre pourquoi le monde était une vaste comédie, produisant une minorité de vainqueurs, opprimant la majorité à leur profit et, entre les deux, la petite-bourgeoise (rebaptisée classe moyenne) au service des premiers. Dans la réalité, je me voyais en marge de ce monde, essayant de survivre, ce qui nécessitait de jouer un peu ma partition dans cette comédie, c'est-à-dire accumuler du capital symbolique pour acquérir plus de valeur, le capital physique étant bien éphémère sur le marché de l'amour où la viande fraîche est la plus prisée.

La fin de mon contrat au paradis de la Mauritanie me ramena sur ma terre brûlante. J'étais pourtant jeune, vingt-sept ans, et dans mon désespoir, il ne me restait plus qu'à reprendre le chemin de l'université, mais une autre cette fois-ci, dont une partie du corps professoral était soucieuse de transmettre des connaissances critiques. C'est là que je fis l'heureuse rencontre de Bonnie Campbell, spécialiste en économie politique, l'une des rares qui savaient ce qu'éduquer veut dire. Je ne l'idéalisais pas pour rien, Bonnie. Cette belle femme, brillante, solidement formée en France et en Angleterre, savait stimuler les silencieuses que plusieurs d'entre nous étions dans ce fief d'hommes souvent vaniteux de la science politique. Et Bonnie, je crois, avait un faible pour les canards boiteux du capital, souvent plus avides de compenser leur manque par le savoir.

CHAPITRE 3
La trève
Bénin 1977-1979

Tout comme pour la Mauritanie, c'est à la suite d'un enchaînement de circonstances, se manifestant toujours par un coup de fil d'une amie (un ami en l'occurrence) que j'eus l'occasion d'aller enseigner au pays des amazones, ces célèbres guerrières du roi d'Abomey redoutées pour leur puissance de frappe. Peut-être existe-t-il un vague fil historique entre ces guerrières et le fait que le Dahomey détenait le record des coups d'État en Afrique. Quoi qu'il en soit, cette créature artificielle, l'État-nation du Dahomey — regroupant l'ancien royaume d'Abomey, fief par excellence du vaudou et des sorciers, le royaume de Porto-Novo, son ennemi traditionnel, et celui des Baribas, réanimé par les Français au moment de l'indépendance, et fruit d'une ligne de démarcation arbitraire établie par les puissances coloniales, séparant ainsi les ethnies, voire les familles —, le Dahomey donc opéra une révolution en 1972, sous l'impulsion de trois jeunes militaires, qui expulsèrent la troïka des descendants des trois royaumes alors au pouvoir et déclarèrent l'État socialiste, rebaptisant le pays du nom de Bénin.

Ma propre conjoncture à Montréal se prêtait aussi à un revirement. La quête de l'amour fusionnel avait atteint son stade ultime avec mon tanzanien John, que je m'étais résolue à marier et qui menaçait de me tuer si je le quittais. Par ailleurs, je devais déterminer un sujet de mémoire de maîtrise, dont le titre final reflétait bien l'état de mes propres lieux à ce moment : *La crise de l'État au Bénin, 1960-1972 : genèse et fondement* (300 pages).

Sur le campus de l'université d'Abomey-Calavi, où j'enseignais les techniques administratives que je détestais, un signe du destin apparut sur mon chemin en la figure de Denis, un homme à sortir du lot. Denis était professeur de psychopathologie à l'université, et son sujet de thèse de doctorat avait porté sur la névrose d'abandon en Afrique. Il avait d'ailleurs amorcé une psychanalyse, trop rapidement interrompue à son dire, pour revenir à la hâte au pays pour des raisons familiales.

Qu'il fut beau et enrichissant ce temps de la paix avec les hommes. Cette rencontre ne s'effectua pas sur un coup de foudre auquel j'étais habituée — dois-je dire un coup de cœur doublé d'un coup de tête ? Avec Denis, j'ai connu la paisible amitié amoureuse, celle de lire ensemble au lit, de commenter le monde, ou d'écouter les passages du roman politico-policier qu'il écrivait, tant de choses à se dire après l'amour.

Par-dessus tout, Denis m'entrouvrit les fenêtres d'un monde inconnu que je découvrirais beaucoup plus tard : celui qui nous habite sans qu'on le sache, un Autre inconnu en nous qui nous commande à notre insu et qui nous pousse, malgré ou contre nous, dans telle direction plutôt que telle autre, déterminant peut-être notre destin. Denis fut le seul homme de ma vie sur lequel je ne pus me retourner sur la piste de l'aéroport. Surtout ne pas me retourner. L'abandonnique ne prend aucun risque et, si elle s'abandonne, ce n'est que pour un temps.

J'allais revoir Denis en de multiples occasions, lors des recherches sur le terrain pour ma thèse de doctorat, de conférences internationales, de visites d'évaluation des programmes pour les Nations unies. Il allait venir me visiter avec beaucoup d'espoir au Cameroun, il faillit venir en Éthiopie pour qu'on s'épouse enfin… mais ce que je voulais, apparemment, n'était pas ce que je désirais. Et cela, je ne pouvais le savoir.

INTERMEZZO
Out of Africa

Une femme entre à l'automne 1979 dans le cabinet d'un psychiatre réputé de Montréal, pratiquant la psychothérapie d'inspiration analytique. Elle a un choc en reconnaissant le psy : c'est celui qu'elle avait déjà vu à la télévision, vers l'âge de dix-huit ans, lors d'une émission consacrée à l'introduction de la psychothérapie familiale au Québec, et elle avait d'emblée déclaré « voilà l'homme rêvé ».

La femme a trente-trois ans et présente sa carte de visite au psy : « abandonnique ». Elle vient de lire, de Germaine Guex, *Le syndrome d'abandon*. Elle souffre d'une dépression, d'un sentiment de vide et ne supporte pas la solitude. Elle écrit un mémoire de maîtrise sur le Bénin où elle a été en poste deux ans, abandonnant ainsi son amoureux psychologue de formation.

Lors de la deuxième séance d'évaluation, la patiente exprime vivement son besoin d'être prise en charge par le psychiatre. Bien que celui-ci ait prévu trois séances, il acquiesce.

À la troisième séance, le psychiatre dit à la patiente : «Vous parlez de vous comme d'une étrangère.» Elle ne comprend pas, mais cette remarque éveille un désir de savoir. Elle n'a que très peu de souvenirs de son enfance et de son adolescence : un *black-out*, selon son expression. Tout se passe comme si sa vie avait débuté à l'âge de dix-huit ans, à la suite de sa rencontre avec un Haïtien blanc qui, dit-elle, a marqué sa vie en lui donnant à lire *Le deuxième sexe* de Simone de Beauvoir, en plus de l'introduire à Marx.

La patiente curieuse décréta un jour, après consultation du *Manuel diagnostique et statistique des troubles mentaux* (DSM), qu'elle était *borderline*, non sans hésitation, car toutes les cases à cocher renvoyaient à quelque chose d'elle-même.

> *Le psychiatre (voix off) :*
> *Jour x. Cas lourd. Le tableau familial de F. G. est très pathogène. Toute la famille, sauf la mère, est psychotique : le père, la sœur aînée (de deux ans plus vieille), sa plus jeune sœur (sept ans de moins que la patiente) et le frère (dix ans de différence). La fille de sa sœur aînée a été élevée par la mère de F. G. Ambivalence face au père et incapacité de se séparer d'avec la mère.*
>
> *Jour x. La patiente a bien saisi le message des* Petites filles modèles *que j'ai déposé à côté d'elle, mais aucun commentaire. Culpabilité intense, surmoi sévère. Ouvrir une brèche dans ce corps de surgelé.*
>
> *Jour x. La patiente a eu un épisode maniaque. Je fais office de père idéal de ses fantasmes. Je lui ai changé*

sa médication et lui ai conseillé de faire de l'exercice physique.

Jour x. La patiente m'a demandé, après cet épisode, si c'est bien ça que voulait dire «introjecter un objet d'amour». Lui ai répondu qu'elle ne serait jamais folle. Elle en avait d'ailleurs la certitude.

Jour x. F. G. m'informe qu'elle est tombée amoureuse d'un Libanais-Haïtien très riche « atterri » dans son appartement par l'entremise d'un ami belge. Elle part dans une semaine vivre en Haïti. L'homme fait plus que figure de père, il a l'âge de son grand-père! Que va-t-il advenir d'elle?

Le psychiatre revit la patiente un an plus tard, en Haïti. Elle lui annonça fièrement, telle une enfant de quatre ans, qu'elle avait enfin vaincu sa peur de l'eau, elle était folle maintenant de la natation. Le psychiatre nota que le « grand-père » l'avait si bien prise en charge que son ego en avait pris un coup.

CHAPITRE 4

La folie

Sao Tomé et Principe 1988

Pendant les vingt-cinq ans de ma vie à l'étranger, je me devais de passer toutes mes vacances avec ma mère, de qui pourtant j'avais choisi de me démarquer : prendre soin des autres, se sacrifier pour ses enfants, y compris pour son mari, tout en travaillant, parfois doublement, très peu pour moi, ce rôle. À l'été 1987, il allait donc de soi que je l'amène à Lisbonne où le PAM m'envoyait un mois pour apprendre le portugais en vue de ma nouvelle affectation à Sao Tomé et Principe. J'y adjoignais, cette fois, mon fils perdu-retrouvé à l'âge de vingt-deux ans, Dominique. Quelle idée pour celle à qui la mère avait dit de ne pas avoir d'enfant ! Le jour de cette double séparation à l'aéroport, ces éternelles séparations que je ne pouvais plus souffrir, un profond désespoir m'envahit.

Ma mère, ma mère… J'écris, j'écris, est-ce pour la faire revivre ou pour m'en séparer ? Qui est cette mère rêvée, celle que je décrivais comme une sainte dans mon homélie, le jour de sa mort le 9 octobre 2006. « Ma mère est morte le jour de l'Action de grâce, fête de la terre nourricière, symbolisant la mère par excellence, celle qui nourrit d'abord avant de se nourrir… » Nourrir l'autre d'amour alors qu'on ne s'aime pas, ne voilà-t-il pas qu'il me ressemblait… ? Étais-je cette femme dans mes fantasmes : dis-moi, comment veux-tu que je te « nourrisse » ? Suis-je dans l'entre-deux-morts ?

Ce nouveau pays à propos duquel le PAM Rome m'avait dit, dans sa langue diplomatique : « Vous allez marcher sur des œufs » ne laissait rien présager de bon. Plutôt ironique, cette phrase, étant donné que c'était précisément le PAM qui m'avait dépêchée à Sao Tomé pour un *briefing* alors que les relations diplomatiques entre les Nations unies et le gouvernement étaient rompues. Et pour cause : la femme du représentant de l'UNICEF, enceinte de huit mois, venait d'être assassinée de vingt-sept coups de couteau dans le ventre, la veille de son départ pour accoucher en Italie. Le mari, bien qu'il fût attesté qu'il avait été présent dans une réunion de travail au moment de l'assassinat, fut accusé et emprisonné. L'envoyé spécial du secrétaire général des Nations unies ne réussit pas à convaincre le gouvernement de le libérer. N'eût été de la femme du président de la Chambre des députés italienne, venue payer une certaine somme pour la libération de son ressortissant (l'histoire ne dit pas combien), ledit mari croupirait sans doute encore dans les geôles santoméennes.

Sao Tomé vivait sous la botte de fer d'une élite métissée, protégée par les Allemands de l'Est, les Angolais et quelques Cubains. La particularité de cette ancienne colonie portugaise, composée de quelque 110 000 âmes, dont l'indépendance fut octroyée en 1975 dans la mouvance des luttes de l'Angola et du Mozambique, tient à son origine : elle servait de dépotoir au commerce négrier. Les *degradados* (dégradés) provenant d'un peu partout du continent y étaient largués soit parce qu'ils étaient malades, soit parce qu'ils étaient jugés inaptes à être vendus. D'aspect physique moins robuste que la population du continent, sans enracinement culturel, sans langue commune, sauf celle du maître, ces esclaves ne furent affranchis que bien longtemps après l'abolition de l'esclavage en 1876. En réalité, ce n'est qu'en 1961 que le Portugal décréta l'arrêt des travaux forcés dans ses colonies.

Au moment de l'indépendance, un État moderne fut plaqué sur cette structure de type esclavagiste / féodal reposant sur l'économie du cacao. Les plantations furent nationalisées et le bureaucrate « socialiste » se substitua tout naturellement au maître portugais, celui-ci se faisant plus invisible. Cet État-parti unique, sans appareil de légitimation et s'en remettant à des corps étrangers pour exercer les fonctions de coercition, donnait un caractère surréaliste à ce pays surnommé l'« île du chocolat ».

Parachutée sur mon île de cacao, j'avais compris, comme bien d'autres collègues, que l'enjeu réel de l'assassinat de la femme du représentant de l'UNICEF était un acte symbolique : elle était l'objet sacrifié d'une lutte contre l'impérialisme. Le coordonnateur des Nations unies, représentant du PNUD avait du reste lui-même fait l'objet d'intimidations. Pour le gouvernement dit socialiste, la présence du corps des Nations unies était perçue comme le cheval de Troie de l'impérialisme, ce qui n'est pas sans vérité. En réalité, les trois agences de financement du système des Nations unies, le PAM, le FNUAP et le PNUD, venaient en appui, indirectement, aux deux autres grandes agences financières, la Banque mondiale et le Fonds monétaire international, sous contrôle direct des Américains, lesquels, pour le dire rapidement, jouaient le rôle de *designers* du développement international.

Une bonne partie de l'aide du PAM servait aux onze plantations (*rocas*) produisant la majeure partie du cacao, le nerf de l'économie santoméenne, dont la production chutait, tout comme les cours sur le marché mondial. La bonne idée du PAM consistait à favoriser le développement de la production vivrière, jusqu'alors interdite. Pour ce faire, l'équivalent monétaire de la contribution PAM était déposé par le gouvernement dans un fonds de contrepartie devant servir au développement de l'agriculture vivrière.

J'occupais donc une fonction stratégique comme représentante du PAM, nourrissant plus de 60 % de la population des deux îles. Tout me désignait, dans les représentations imaginaires collectives, pour incarner la mère symbolique (nourricière), doublée de la séductrice. Dans ce pays patriarcal par excellence et catholique, la figure de cette femme libertine, une Blanche, non mariée, vivant en concubinage avec un Noir zaïrois, Albert, le coordonnateur des Nations unies, était doublement menaçante. Qui plus est, la libertine poussait l'outrecuidance jusqu'à parader dans des vêtements d'un luxe ostentatoire au vu d'une population vêtue des habits, souvent presque des haillons, de l'ancien maître, survivant dans une pauvreté presque absolue (revenu, santé, niveau d'éducation...), selon l'indice des Nations unies. Affichant ouvertement l'amour fou qu'elle vivait avec le prince Albert, comme le surnommaient ses collègues, elle était destinée à devenir celle que l'on surnomma plus tard la Mata Hari de l'impérialisme américain.

Faisant fi du « mauvais œil », si familier aux Africains, faisant fi aussi du serpent mort trouvé sous sa Land Cruiser, en gage d'accueil peu de temps après son arrivée, la future Mata Hari se révélait une redoutable investigatrice. Les rumeurs l'avaient mise sur la piste de possibles détournements des cargaisons de l'aide alimentaire au profit de l'Angola, alors en guerre. Les états de compte, il est vrai, souffraient d'embrouilles. La vaillante décida d'augmenter ses visites à bord des paquebots de livraison, où elle était reçue, évidemment, comme une reine. Elle lança en parallèle une offensive avec les autres donateurs d'aide alimentaire, dont la Communauté économique européenne et la France en particulier, pour faire l'état des lieux et coordonner l'aide alimentaire à Sao Tomé et Principe, ce qui était dans ses fonctions, mais ses partenaires masculins ne voyaient pas d'un bon œil qu'une femme assume le leadership en cette matière.

Mata Hari, constatant qu'il n'y avait presque rien à manger dans l'île et encore moins pour se vêtir, décida, par l'entremise de son Albert, de demander aux Nations unies de financer l'affrètement d'un avion tous les trois mois pour nourrir le personnel onusien. Seul le PAM, qui traitait bien son personnel de terrain, accepta. Cet avion allait lui sauver la vie.

Entre-temps, l'avion servait aussi aux deux amoureux à aller s'éclater à Libreville, l'un au casino, l'autre dans des achats compulsifs, l'escalade amoureuse allant de pair avec l'escalade du gouvernement santoméen avec le PAM. C'est lors d'une de ces lunes de miel que le couple apprit, par la radio d'abord, qu'une tentative de coup d'État à Sao Tomé avait eu lieu (une première dans l'histoire de ce pays) et ensuite, par collègues interposés, que Mata Hari-F. G. était à la tête de ce complot, allant même jusqu'à proférer à la radio des propos diffamatoires contre le gouvernement. Le surréalisme était à son comble.

Pour s'en tenir aux dernières étapes d'un drame politico-policier sur fond de trame amoureuse, qui s'étala sur un an, résumons : ledit prince Albert, avec son flair africain, déclara un jour à sa Mata Hari : « Bientôt, ce sera le jour anniversaire de l'assassinat de la femme enceinte, attention, ils vont s'en prendre à toi. » Son espionne de lui répondre : « Tu es complètement parano. » Or l'Africain voyait juste. Le ministre de l'Agriculture convoqua Mata Hari pour qu'elle l'autorise, une fois de plus, à prendre l'argent du fonds de contrepartie destiné à l'agriculture vivrière pour payer les ouvriers des plantations, l'État n'ayant plus d'argent. Mata Hari de lui répondre, une fois de plus, télex de Rome à l'appui : « Le PAM, ce n'est pas moi. » Le ministre demanda à Rome de retirer sa représentante, sans succès évidemment.

Ledit prince jugea que le climat était propice à une escapade prolongée à Libreville. Mata Hari téléphona à Rome, de Libreville, pour expliquer la tension montante à Sao Tomé ; on lui suggéra de se tapir à l'ombre pour un bon mois. Avant la fin du congé, la consciencieuse espionne décida d'honorer son rendez-vous avec le ministre de l'Agriculture, aussi rentra-t-elle à Sao Tomé, offusquée d'être lâchée par le soi-disant prince, qui préférait rester à Libreville (une voix intérieure lui confirmant «Voilà, tu le sais bien, les hommes sont des lâches»). Le soir même de son arrivée à Sao Tomé, sous le coup d'une impulsion, elle quitta son appartement, eut l'idée de laisser la Land Cruiser devant l'édifice, sans savoir pourquoi, puis s'en alla dormir à la villa de son dégradé Albert. Ce soir-là, pour la deuxième fois, les forces de l'ordre entrèrent par effraction dans son appartement, sans la trouver (confirmé par ses voisins). Le lendemain, Mata Hari s'enfuyait à bord de l'avion privé. Quelques années plus tard, on la retrouva à l'université Laval, à Québec, présentant une conférence sur la typologie de l'État délinquant en Afrique. Il faut bien reconnaître qu'elle avait de la suite dans les idées.

CHAPITRE 5

L'incertitude
Éthiopie 1989

De la suite dans les idées, oui j'en avais, mais d'où provenaient ces idées de me faire la porte-parole de la vérité, ignorant la réalité, m'exposant au plus grand risque ? Et qu'est-ce que je ne voyais pas que les autres voyaient ? Relisant mes réflexions sur la quête / rejet du regard du père, sans compter la voix de ma sainte mère, ladite Mata Hari aurait intérêt à diriger son enquête de ce côté, quête bien plus difficile que celle-là. En somme, l'héroïne de mes rêves serait-elle une fiction construite à partir d'un regard et d'une parole préfabriqués ?

L'État délinquant de Sao Tomé… n'y a-t-il pas là un rapport avec la jeune délinquante que j'étais, qui, dès l'âge de onze ans, déclarait à sa mère : «Je n'ai de compte à rendre à personne» ? Et qui, ajoutant l'injure à l'insulte, cracha à la figure de son père : «Retourne dans ton asile de fous.» Mon père, sous l'injonction de ma mère, essayait de poser une limite à ses deux adolescentes en révolte. Est-ce à la suite de ma mise hors la loi du père que celui-ci retourna à l'hôpital d'où il ne sortira que bien plus tard ? Ou peut-être était-il alors à la maison en congé ? Pourquoi ai-je soudain l'impression d'être coupable et responsable de tout ce qui est arrivé à mon père ?

Chien enragé, je l'étais, et ma sœur encore plus que moi, sauf que jamais Diane n'aurait insulté mon père, encore moins osé se battre avec lui, comme je le fis à deux reprises. Diane s'en prenait exclusivement à ma mère, peut-être la tenait-elle pour coupable de l'enfermement de mon père ? En repensant à l'arme que j'avais volée à mon père, à cinq ans, n'y avait-il aucune limite à mon désir de tuer ceux qui avaient tué mon père, le pouvoir politique ? Haro sur le pouvoir qui a « tué » mon père et occasionné tous les malheurs de la famille. Une meurtrière se déclare.

Black out.

J'essaie de retrouver avec mes yeux d'enfant ce père tant désiré : terrifié et terrifiant, à la fois victime et bourreau. Sauver la victime et tuer le bourreau m'apparaît assez juste, d'autant plus que mon père représentait la justice. D'un côté, père imaginé tout-puissant en tant que policier, détenteur d'une arme, et de l'autre, père victime d'un corps policier corrompu, à l'image de ceux qui actionnaient ce bras armé du pouvoir. Je pense que j'y suis.

Je ne peux me souvenir de l'âge que j'avais lorsque la scène traumatique eut lieu. Peut-être quatre ans. Deux ou trois policiers tentent de passer les menottes à mon père ensanglanté (je ne pense pas), se débattant,

pleurant, criant «je ne suis pas fou, lâchez-moi». Moi,
acculée à une grande armoire au fond de la pièce prin-
cipale, la cuisine, terrifiée, en suspension dans le temps.
Ma mère et ma sœur Diane sont présentes, n'en suis
pas sûre, mais je ne les vois pas. Puis mon père disparut.
Dieu le père était mort.

La dernière scène avec mon père eut lieu quelques
mois avant sa mort. Venue de New York où j'habitais,
je le revois dans ce centre d'accueil, tout seul, abandonné comme un chien : « Je te sortirai la prochaine
fois, c'est promis. » Il n'y eut pas de prochaine fois.
Mon père est mort un matin, vers 5 h, son regard
tourné vers la fenêtre, espérant peut-être le lever
d'un jour qu'il n'avait jamais vu. Sa mère était morte
à sa naissance.

Dès mon arrivée en Éthiopie, j'ai détesté ce vieux
royaume du Négus, le roi des rois, où le PAM m'avait
affectée après l'épisode de Sao Tomé. L'Afrique para-
disiaque devenait de plus en plus un enfer, dans la
réalité et dans ma vie. Les visites sur le terrain, que
ce soit près de la frontière somalienne, où sévissait
la guerre, ou encore en Érythrée, où la lutte pour
l'indépendance s'amplifiait, s'effectuaient dans une
insécurité grandissante. Ainsi, à bien des endroits, il
m'arrivait de ne pouvoir dormir dans la Land Cruiser,
comme parfois je le faisais, soucieuse d'éviter des
« hôtels » crasseux et puants, véritables cauchemars
peuplés d'énormes cafards.

Un jour, revenant de ma mission d'inspection des
bateaux au port de Massawa, ma Land Cruiser fut
coincée entre un convoi d'armements et mon convoi
d'aide alimentaire sur l'étroite route montagneuse

menant à la capitale, Asmara. Les rebelles, que l'on disait tapis dans les collines environnantes, n'étaient pas au rendez-vous pour s'emparer des deux « nerfs » de la guerre. Dans l'appartement-hôtel que j'occupais à Addis-Abeba, situé à mi-distance du palais présidentiel et de la caserne principale des officiers, je me retrouvai aux premières loges pour assister à l'échange de coups de feu lors de la première tentative de renversement du dictateur Mengistu, n'ayant même pas eu le réflexe de me cacher sous le lit. Oui, l'Afrique devenait un vrai cauchemar.

Addis-Abeba est pourtant l'une des plus belles capitales africaines, jouissant d'un climat de rêve grâce à sa haute d'altitude. Malheureusement célèbre pour ses famines périodiques, elle fourmillait d'amputés, d'éclopés de guerre et de mendiants, dont la densité au kilomètre carré témoignait de la guerre interminable que se livraient depuis des décennies l'Éthiopie et l'Érythrée, sans compter le Tigré et quelques autres régions revendiquant leur autonomie. De par sa position stratégique sur le plan géopolitique, l'Éthiopie demeurait toujours un lieu privilégié de la présence occidentale, soucieuse de contrôler la corne de l'Afrique, soit les territoires donnant accès à la mer Rouge.

À Addis-Abeba, capitale de l'Afrique, siégeaient l'Organisation pour l'unité africaine, la Commission économique des Nations unies pour l'Afrique, de même que toutes les agences d'aide internationales et bilatérales ainsi que les missions diplomatiques des principaux pays qui veillaient à leurs intérêts stratégiques. Le bureau du PAM était d'ailleurs l'un des plus importants d'Afrique tant en personnel

qu'en équipement, prêt à faire face aux famines toujours menaçantes.

Dès mon arrivée, je constatai à quel point la présence des Anglais, ces traditionnels alliés politiques
des Américains, grands experts des services d'intelligence, était prépondérante au niveau de la direction
des organismes stratégiques des Nations unies. Seule
étrangère dans la grande équipe anglaise du PAM, à
part mon collègue bangladeshi, la Québécoise fit
l'objet d'un accueil très froid. À la discrimination
plus qu'évidente à laquelle les deux « apatrides »
étaient soumis, s'ajoutait celle des Éthiopiens, se
tenant d'autant plus à l'écart des étrangers que l'on
était à l'ère du soi-disant socialisme. En réalité,
l'Éthiopie, comme bien d'autres pays africains aux
velléités nationalistes, devait se ranger sous cette éti-
quette pour bénéficier du parapluie protecteur de
l'Union soviétique, ce qui permettait en même temps
de centraliser le pouvoir politique.

Ma solitude, mon sentiment d'exclusion et
d'abandon s'aggravèrent. En attente d'improbables
retrouvailles avec Albert, je n'avais qu'une idée : sortir
de ce « trou » noir. Mais comment ? Un mur se dressait,
je me sentais perdue et condamnée pour au moins
deux ans, durée maximale de mon affectation, sans
espoir, comme dans une prison.

Du point de vue professionnel, le représentant du
PAM me donna la responsabilité des projets touchant
à la réserve de sécurité alimentaire et au développement de la production laitière à l'échelle nationale, ce
qui aurait dû me convenir compte tenu de la manière
dont je menais ma vie ! Il n'y a pas là matière à ironiser,
je détestais (doublement) ce travail.

Dans le magnifique appartement-hôtel conçu à l'époque pour recevoir les chefs d'État africains, je rentrais du travail dépressive, m'écroulant sur le divan du salon, regardant ma petite bonne d'origine érythréenne travailler, elle dont le fils âgé de quinze ans venait d'être embrigadé par l'armée éthiopienne, me posant toujours la même question, celle qui hantait de plus en plus ma vie : comment les gens font-ils pour survivre ? La petite bonne, celle qui existait en moi, celle qui se mettait au service des autres, voyait le monde à son juste reflet, tout en jouissant cependant de son statut social privilégié et des objets que ce statut lui permettait de se procurer.

Jusqu'à quel point ma dépression est-elle une forme de lâcheté ? Je fus une enfant lâchée, certes, c'est mon vécu, et le sentiment d'un vide plein de douleurs réprimées l'accompagnant est bien réel. En repensant à la véritable bonne érythréenne accourant chez moi après avoir parcouru je ne sais combien de kilomètres à pied, parfois sous la pluie, je me demande comment elle me voyait, moi, si accablée. Elle m'identifiait sans doute aux catégories des bien nantis, élites locales et internationales au service d'une classe capitaliste internationalisée, celle qui surplombait le système, dont elle ne pouvait soupçonner l'existence. Je la rémunérais plus que les autres domestiques de sa catégorie, pratiquant toujours une hausse du cours du marché, question d'alléger ma culpabilité. Que c'est beau, la belle âme, ça donne le sentiment d'une certaine consolation face à ceux qui n'ont d'autre choix que de faire la charité de vous servir.

Suis-je une lâche héroïne ou une héroïne lâchée ?

Non, je ne suis pas lâche, même si je me rêvais héroïne. Même en Éthiopie, avec le peu de marge de manœuvre dont je disposais, je continuais à faire entendre ma petite voix, à vrai dire de plus en plus forte, aux autorités à Rome, consolidant sans cesse ma position de « penseur stratégique » (*strategic thinker*). Fallait-il passer par-dessus la tête des chefs hiérarchiques, nombreux dans le système, je n'avais aucune hésitation.

L'occasion propice se présenta en 1989, lors de la conférence des Nations unies à Addis-Abeba sur la question vitale des plans d'ajustement structurel que les bailleurs de fonds, sous l'égide du FMI et de la Banque mondiale, avaient imposés partout en Afrique à partir des années 1970, au vu de leurs dettes croissantes sous l'effet d'un ensemble de mécanismes découlant, pour le dire en un mot, de l'idéologie de la croissance économique : sans croissance économique, pas de développement. Développement pour qui et pourquoi ? Cette question faisait partie des non-dits du discours dominant.

Les plans d'ajustement en Afrique visant à rembourser la dette publique, alors que le PIB augmentait (où passaient les fruits de la croissance ?), avaient des effets dévastateurs pour la majorité de la population, que ce soit en termes de revenu, de santé, d'éducation, d'alimentation ou d'accès à l'eau potable… Les sacrifices demandés à ces déjà pauvres généraient des conflits internes menaçant l'existence même des États-nations africains déjà fragilisés. Pour le capital monopolisé par les étrangers, l'absence de stabilité des marchés intérieurs n'étant pas propice aux bonnes affaires, il fallait entendre la voix des

classes dirigeantes africaines pour réajuster éventuel-
lement le discours. Quant aux dirigeants locaux, assis
sur une poudrière, leurs comptes en banque risquant
aussi d'en souffrir, ils réclamaient un meilleur partage
des richesses externes / internes.

À cette conférence sur la décennie 1990 qui s'ouvrait, l'Afrique faisait pour une fois front commun
et présenta son alternative aux programmes d'ajustement structurel : priorité à l'agriculture vivrière
par opposition aux cultures d'exportation, transfor-
mation sur place d'une partie de leurs ressources
naturelles, amélioration des services de santé et
sociaux, en un mot, un développement plus autocentré
qu'extraverti, modèle imposé depuis l'époque colo-
niale et ayant toujours cours.

Alertant le siège social du PAM sur les enjeux de
cette conférence, je fus désignée pour représenter
l'organisation et soutenir l'alternative africaine, tout
en sachant bien que la voix du PAM ne pesait pas
lourd dans ces négociations : notre raison d'être
tenant précisément à ramasser les pots cassés du
système, lors des famines en l'occurrence. Quant à
l'autre volet de notre mandat, le soutien au développement de l'économie africaine, ce mot disparaissait
de plus en plus du vocabulaire du PAM et des Nations
unies, parallèlement à la montée des conflits internes.
Quant à moi, ce n'est pas sans une petite jouissance
secrète que j'outrepassais les fonctions de l'Anglais,
représentant officiel du PAM.

Je repense à la petite fille modèle, celle à laquelle
faisait référence mon premier thérapeute… pour qui
se veut-elle modèle ? Modèle pour une mère qui
« s'était sacrifiée pour ses enfants », comme elle aimait

à le leur rappeler, espérant sans doute préparer ses filles à affronter la dure réalité de la vie ? J'étais bien préparée en effet pour sacrifier mes propres intérêts, jusqu'à un certain point, en me faisant la porte-parole de la vérité dans le concert mondial des Nations unies, parlant au nom de la justice, mais dont les structures avaient été conçues pour ne pas s'attaquer aux causes de l'injustice.

Héroïque petite fille de ma mère ? Ou bien héroïne de mon père ? Ah oui, mon père, ce héros qu'il fut à mes jeunes yeux. Que faut-il donc lâcher, héroïne de mes rêves ?

Lors de cette malheureuse année éthiopienne, celle dont j'ai gardé le plus mauvais souvenir parmi les pays africains où j'avais vécu (Mauritanie, Bénin, Cameroun, Sao Tomé et Principe), Albert fut ma bouée de secours. Muté par son agence, le PNUD, de Sao Tomé à New York, il supervisait une partie des pays de l'Afrique de l'Est. Nos relations tumultueuses et passionnelles se poursuivaient : coups de fil presque quotidiens, lunes de miel et de fiel tous les deux mois en Afrique, en Europe ou en Amérique. Avant de se quitter, Albert m'avait juré : « S'il le faut, nous nous marierons, tu viendras à New York, tu trouveras certainement un travail aux Nations unies. »

La première option était depuis toujours éliminée, du moins sous la forme de dépendance financière à l'égard d'un homme, mes trois années avec John en Haïti ayant été l'exception qui confirmait la règle. Quant à l'autre option, trouver un poste dans une autre agence des Nations unies au siège même de New York, elle relevait de l'improbable. C'est grâce à un coup de fil (toujours un coup de fil) que passa

Albert au directeur des ressources humaines du Fonds des Nations unies pour la population (FNUAP) que je pus obtenir une entrevue, puis fus recrutée dans le cadre d'une première expérience d'échange d'un fonctionnaire entre quatre des agences du système.

Je me souviens encore de la date et des circonstances exactes où le directeur du personnel du FNUAP m'appela à Addis-Abeba pour confirmer mon recrutement à New York : c'était le jour de la fête du Canada, le 1er juillet 1989. Encore une fois, la chance était au rendez-vous, et ce d'autant plus que je devais quitter dans les jours suivants l'appartement-hôtel pour m'installer dans un logement-tombeau où j'aurais à croupir pour une autre période de deux ans. Impensable. Et New York est à une heure de vol de Montréal, me soufflait une petite voix intérieure, car la situation familiale se dégradait à toute vitesse. Chaque fois que je me heurtais à un mur, une porte que je ne pouvais prévoir s'ouvrait comme par miracle.

CHAPITRE 6

L'espoir
New York 1990-2000

Sauvée de l'Afrique, sauvée du PAM et de sa nourriture que je détestais, j'allais être envoyée en sens inverse, de l'enfer de la capitale africaine au paradis de la capitale du monde, New York, où j'allais gérer les problèmes de population. Il y eut de bons moments d'euphorie, remplacée rapidement par l'espoir, le temps ayant fini par déchirer quelque peu le voile de mes illusions : le paradis n'était jamais là où je l'attendais. Euphorie enfin avec Albert dans l'espoir que nous allions être ensuite réunis pour toujours. L'espoir ? Avais-je jamais vécu d'espoir ?

Quelques jours après mon entrée triomphale à New York, ce que je m'efforçais d'ignorer à propos d'Albert me tomba dessus : il m'avait trompée durant mon absence (moi de même, sous prétexte qu'il me trompait), tout en s'organisant pour que je le sache, déclenchant ainsi un drame qui faillit bien conduire à la rupture. Je n'avais pourtant aucune illusion sur la fidélité des hommes en général et des Africains en particulier, mais il semble que mon imaginaire pensait autrement. Pour Albert, l'amour était directement proportionnel à la jalousie, véritable paradoxe pour celle qui cherchait avant tout la sécurité affective, et même si j'avais détecté ce petit jeu très tôt à Sao Tomé, son efficacité opérait toujours.

L'imaginaire s'imagine constamment. Que dire de cette jeune fille santoméenne, à peine âgée de seize ans, venue un jour familièrement sonner à la porte de la villa d'Albert pour demander de l'argent ? Je justifiais ce que je soupçonnais en me racontant qu'il avait été célibataire à Sao Tomé pendant près d'un an avant mon arrivée. Pourquoi justifier l'injustifiable si ce n'est que j'avais été moi-même cette jeune fille dans le passé, séduite à quatorze ans par un premier amour tant attendu, un Italien, de six ou sept ans plus âgé que moi, celui dont je me retrouvai enceinte à seize ans, puis qui m'abandonna. Ma mère s'était prononcée contre le mariage ; quant à moi, je n'avais pas d'idée sur le sujet. Par ailleurs, revenant pleurer un an après mon accouchement chez ma mère pour lui dire qu'il m'aimait, le fameux Nino s'était vu répondre : « Francine ne t'aime pas. » Ma mère parlait en mon nom. N'avais-je donc aucune voix ?

Quel était le ressort de cette relation passionnelle avec Albert, faite de drames, de séparations, de retrouvailles endiablées ? Une première question posée par ma psychologue-psychanalyste ouvrait une brèche : « Quelles qualités trouvez-vous en Albert ? » Je restai bouche bée, ne trouvant rien à répondre. Albert était pourtant un bel homme, intelligent, cultivé, ayant étudié chez les jésuites pour poursuivre en Belgique, dès l'âge de dix-huit ans, ses études d'ingénieur ; il était charmant et séducteur, un fin diplomate qui jouera plus tard un rôle déterminant dans le processus de paix au Mozambique. Ce que j'attendais de lui visait à combler une privation infantile, non formulée, mais bien ressentie. Quant au prix à payer pour maintenir mes illusions de fusion d'amour, il semblait illimité.

À l'autre brèche ouverte par ma thérapeute Nicole : « Qu'y a-t-il de commun entre tous ces hommes (tellement nombreux) que vous avez aimés ? » je n'ai pu que répondre : « les faire parler », parler de leurs souffrances que j'estimais, moi, encore plus souffrante, être en mesure d'apaiser. En y repensant, n'était-ce pas moi qui demandais à être parlée ? De quoi… moi qui ne crois pas aux mots, les mots sont traîtres. Parle-moi, parle-moi pour dire que j'existe, pour combler le vide en moi. Dis-moi n'importe quoi, que j'entende une voix dans la noirceur qui m'habite. Grâce à l'appui de Nicole, cette relation allait durer au-delà du seuil fatidique des trois jours, trois mois ou trois ans, soit douze ans, un vrai record.

Ma vie à New York démarra sous haute tension : nouveaux défis professionnels où il me fallait démontrer d'autres compétences, ce qui impliquait toujours dans mon cas de mettre les bouchées doubles. Tout d'abord que signifiaient les termes « population et développement d'un pays » ? Pour moi, il existait bien des problèmes, mais seulement pour une majorité de la population, que ce soit en termes d'accès à la santé, à l'éducation, à l'eau potable, à l'électricité alors qu'une petite minorité allait se faire soigner et s'éduquer en Europe. Par ailleurs, les mots à la mode changeaient constamment aux Nations unies, ce que certains d'entre nous appelaient la marotte (*fad*) du moment, chaque agence financière ou exécutrice du système devant tenir compte dans ses projets du leitmotiv de l'heure.

Historiquement, le FNUAP avait trouvé sa raison d'être en 1967 dans la conjoncture démographique galopante, étant censée faire obstacle au développement économique, selon la bonne logique de la croissance. Puis vinrent le *fad* de l'environnement, le thème femmes et population, suivi de genre et population, puis de la lutte contre la pauvreté, jusqu'à ce que la Banque mondiale couronne le tout avec la «bonne gouvernance», une vraie bonne trouvaille.

Le mot est le meurtre de la chose, c'est connu. La bonne gouvernance tue la chose politique, ce qui tient la société ensemble, en réduisant l'État à un appareil administratif dont il faut assurer la bonne gestion, le modèle étant bien sûr l'entreprise privée. Il s'agit en somme de porter la logique des intérêts du capital jusqu'au bout en « privatisant » l'État pour mieux le soumettre à la logique des marchés. Les mots clés, passés maintenant dans le vocabulaire commun, semblent aller de soi : l'efficacité et la rentabilité, pierre d'assise des approches managériales. Cette vue «techniciste» de l'État vient ainsi accompagner le mode de développement économiste et techniciste pratiqué depuis toujours au nom de la bonne rationalité.

Que faire alors des pauvres dans cette opération programmée de déconstruction du lieu du politique, après avoir dégraissé les appareils d'État et privatisé le secteur public, entre autres? L'autre bonne trouvaille était la décentralisation, la Banque mondiale se déchargeant ainsi de ses responsabilités sur les gouvernements, sommés de mieux «gérer» leurs affaires et les incitant à décentraliser les pouvoirs au niveau des provinces ou régions tout en s'assurant par un ensemble de mesures économiques, législatives et institutionnelles, y compris la formation de technocrates africains, de la centralisation des ressources au niveau international et, dans une mesure moindre, au niveau national. En somme : gérez ensemble votre pauvreté et encadrez-la pendant que nous gérons les choses sérieuses.

Rétrospectivement, je me demande jusqu'à quel point ma contribution à la mise en place du concept de programme au FNUAP n'a pas servi indirectement les intérêts du système que je m'employais à dénoncer. Cela mérite quelques éclaircissements. Le vaste et vague mandat du FNUAP, la population, se traduisait par une politique de saupoudrage des millions de dollars alloués aux pays dans le cadre de différents projets dans différents secteurs, ce qui laissait une bonne latitude au niveau de l'allocation interne des ressources. Le programme typique de pays comportait un volet recensement des populations, enquêtes démographiques, mise sur pied d'un état civil, santé maternelle et infantile, éducation et formation en matière de population et de développement, femmes, population et développement, termes bien imprécis, à l'exception des deux premiers.

Dès ma première mission de planification en Sierra Leone, début 1990, l'équipe de consultants et moi-même avions pensé utiliser l'ensemble des sommes disponibles, toujours attribuées d'en haut selon des critères politiques, en priorité pour le secteur de la santé maternelle et infantile en articulant les autres projets autour de ce thème clé, renforçant ainsi les interrelations. L'idée d'un véritable programme, par opposition à une liste de projets qui ressemblait à une liste d'épicerie, étant un peu trop novatrice au vu des pratiques routinières de l'organisation, ce ne fut que deux ans plus tard que l'approche programme fut adoptée et généralisée.

Cette « rationalisation » de l'aide peut sembler justifiée à première vue, mais elle avait pour effet d'éliminer un ensemble de projets potentiellement novateurs, porteurs de changement, particulièrement en ce qui concerne les femmes et les jeunes. Souvent mal formulés, aux objectifs flous, il aurait fallu aider les groupements concernés à articuler avec plus de consistance leur idée de projet. Il est vrai que ma charge de travail s'accroissait sans cesse, suivant le sacré principe d'efficacité, et que, de plus, on m'attribuait généralement les pays les plus difficiles, ceux en crise, de telle sorte que je me retrouvais bien souvent sans représentant sur le terrain, alourdissant ainsi ma tâche.

Au-delà de ces contraintes, comment expliquer la rigueur implacable avec laquelle j'analysais les programmes de pays? Le système fonctionnait à la rationalité, dont l'outil est la logique. Qu'à cela ne tienne, j'excellais en logique. Au nom des effets attendus dans tel secteur, les représentants ou leurs substituts étaient renvoyés généralement à leurs devoirs. Véritable contradiction, car en utilisant le discours scientifique, je contribuais à renforcer le système capitaliste que je dénonçais, m'inscrivant avant l'heure dans l'approche de la bonne gouvernance, sans m'en rendre compte.

En juin 1994, je demandai à être transférée de la branche de l'Afrique de l'Ouest et du Centre à celle de l'Est et du Sud, pour une double raison. Je ne supportais plus la chef de branche, une parachutée politique que j'appuyais dans ses premières classes, et le détachement temporaire d'Albert du PNUD New York au Mozambique pour assister l'envoyé spécial du secrétaire des Nations unies dans le cadre de la mission de paix. On me confia la responsabilité, en tant qu'administrateur de programmes, du Rwanda, du Burundi, de l'Angola, du Mozambique, des îles Comores et de Madagascar, plus le programme régional genre et développement.

Le départ d'Albert pour la mission du Mozambique, dont je me doutais bien qu'elle s'étendrait au-delà des quatre mois prévus (elle durera deux ans), me replongea dans mon angoisse d'abandon. Le choc brutal causé par la mort subite de mon père en septembre 1991, la lente plongée de ma mère dans l'oubli de sa mémoire, sans compter les drames successifs de mes deux sœurs et de mon frère s'inscrivaient en toile de fond de cette angoisse.

C'est alors que commença ma ronde de consultations de psychiatres spécialisés en dépression chronique et la panoplie d'antidépresseurs et de calmants qui l'accompagnait. En désespoir de cause, l'un d'eux me concocta un cocktail comprenant des amphétamines mélangées à des antidépresseurs, selon son approche de la théorie du chaos. Le monde s'acheminant vers un chaos, l'approche me semblait logique. Symptôme sociétal et symptôme individuel se conjuguaient-ils? Étais-je donc si prête à mourir?

Je souffrais d'une dépression sévère, atypique, selon la terminologie psychiatrique, dont la description convenait à ce que je ressentais. La clientèle type de ce grand psychiatre chercheur, spécialiste en dépression chronique, et dont les yeux restaient toujours rivés à son ordinateur, se composait de cancéreux avancés et de sidéens. Par quel miracle ai-je survécu à ce cocktail explosif? Mon identification au symptôme de l'abandonnique se doubla, à cette époque, d'un autre symptôme, celui du survivant, après avoir passé en revue une bonne partie de la littérature sur les survivants de l'Holocauste. Combien leurs mots résonnaient en moi, leur douleur de survivre à l'horreur dont ils avaient été témoins. «Alors une désolation totale m'envahit, comme certains désespoirs enfouis dans les souvenirs de la petite enfance : une douleur à l'état pur, que ne tempèrent ni le sentiment de la réalité ni l'intrusion de circonstances extérieures, la douleur des enfants qui pleurent [...][1].»

Qu'est-ce qu'un survivant? En principe, quelqu'un qui a survécu à un génocide visant à éliminer une partie de la population, pour des raisons ethniques, pratiqué par des hommes en groupe sur d'autres hommes. Celui qui a vu le Mal ne peut plus croire en la raison de l'homme. Une part de lui-même est brisée, il a vu quelque chose qu'il n'aurait pas dû voir chez les autres humains. Celui-là n'a pas les mots pour le

---

1. P. Levi, *Si c'est un homme*, Paris, Presses Pocket, 1988, p. 64.

dire et même s'il les avait, il sait que l'autre ne pourrait comprendre ni même ne voudrait entendre.

Survivant, dans mon cas, ça voulait dire survivre à l'enfer collectif dont j'avais été témoin à l'âge de cinq ans, dans un vaste village de fous appelé Saint-Jean-de Dieu, où l'on avait enfermé mon père ; ça voulait dire aussi survivre inlassablement à toute ma famille, sauf ma mère aux prises avec un délire intérieur. Pourquoi eux et pas moi ? Survivre tout en n'abandonnant pas les miens, c'est comme être condamnée à nager d'une seule main, en gardant la tête hors de l'eau, en tenant mes naufragés familiaux de l'autre, et ce dans un monde de plus en plus inhumain. Survivre n'est pas vivre. C'est courir au lieu de marcher vers la mort.

Propulsée par mon cocktail d'antidépresseurs, je m'attaquai aux autres survivants selon la bonne vieille recette : sauver les autres à défaut de se sauver soi-même. Ça tombait bien, nous étions en plein génocide au Rwanda. La vraie question était : que reste-t-il de la population, où se trouve-t-elle ? Ce qui paraissait une évidence à mes yeux ne l'était pas pour les autres : pourquoi agir si ce n'est pas dans notre mandat, me répondait-on. Enfin, une grande cause pour me mobiliser, ce qui signifiait élargir le mandat du FNUAP pour qu'il intervienne dans les situations d'urgence. Il me fallait convaincre la hiérarchie du FNUAP, ce qui fut fait avec succès grâce à l'appui de mon nouveau chef de branche, un Américain, psychologue de formation, qui me donna carte blanche pour concentrer mes efforts sur le Rwanda.

Forte de mon expérience des situations d'urgence, j'attaquai le cas du Rwanda avec une détermination sans précédent et préparai les grandes lignes de l'élargissement de notre mandat et des champs possibles de notre intervention : (de mémoire) contribution à l'évaluation des mouvements de population, équipements et fournitures pour la prévention du sida et enquête démographique et sanitaire dès la fin du conflit. Le défi était de taille : rien de moins évident que de faire réviser le mandat d'une agence des Nations unies, un appareil politico-administratif d'une lourdeur telle qu'il pourrait concurrencer celui de la récente défunte Union soviétique.

La folie des hommes, je l'avais toujours côtoyée. Lorsqu'elle s'étend à l'échelle d'une nation tout entière, sous la forme d'un massacre interpellant l'ensemble de la population au nom de marqueurs identitaires imaginaires, accompagnant l'effondrement de l'ordre politico-symbolique, cette folie venait une fois de plus confirmer que l'homme rationnel est bien une vue de l'esprit.

L'occasion était belle pour la belle âme, africaniste de surcroît, de porter le drapeau de la vérité, celui du Rwanda, un pays qui avait perdu son âme et sombré dans la folie. N'y avait-il pas, derrière ma grande agitation, le désir d'être vue, d'être reconnue, de faire entendre ma voix ? Pour qui ? et à qui ? À Dieu-le-père mort, un lieu symbolique, détenteur de tous les pouvoirs ? Je n'avais aucune considération pour mes supérieurs, sauf l'Américain, tous plus ou moins lâches à mes yeux, trahissant l'idéal qu'ils étaient censés représenter. En abattant la carte du Rwanda, je jouissais de «dégommer» la directrice-exécutrice, et me hissais, dans mes fantasmes, au-dessus d'elle.

Ce bon coup, qui aurait dû être suivi d'une promotion, n'eut pour résultat qu'une lettre de reconnaissance de ladite chef suprême «pour mon rôle déterminant au Rwanda», gommant à son tour la véritable portée de mon action. Il apparaît bien que je n'avais pas l'art de promouvoir mes propres intérêts tout en croyant le faire. Pourtant, la recette, je la connaissais depuis longtemps : admirer ou faire semblant d'admirer ses chefs, voire même, à la limite, en flatter certains.

Ma frustration croissait proportionnellement à cette absence de reconnaissance. Qui plus est, toutes les recommandations de mes superviseurs directs quant à l'avenir de ma carrière aux Nations unies allaient toujours dans le même sens : promotion à la division de l'évaluation et des politiques. Mon désir m'enfermait dans un cercle vicieux, renforçant après coup mon sentiment d'impuissance.

Plus j'écris, plus je me demande ce que les mots veulent dire. M'accrocher aux mots… que disait ou que dit la spécialiste en science politique sur le mot pouvoir : capacité d'imposer des normes et du droit. Mais quel droit? Quelle justice? Droit des plus forts de se faire entendre, de manipuler le langage, d'exploiter les autres, de s'approprier des biens d'autrui, de jouir d'eux sans leur consentement, de les tuer, de les violer. Ceux qui détiennent le pouvoir et qui pervertissent l'idéal de justice qu'ils sont censés représenter, par leurs pratiques et par la manipulation du langage créent les conditions pour que les hommes la transgressent : «jouis de l'autre à mort» devient la seule loi, de telle sorte que la haine, bien enfouie au cœur de l'homme, peut, dans certains

contextes économiques, sociopolitiques et historiques,
déferler collectivement : où commence le bourreau, où
s'arrête la victime ?

Et qu'en est-il du téléspectateur, jouisseur passif
assis devant sa télé ? « Les Rwandais sont des barbares,
nous, Occidentaux civilisés, ne pourrions jamais nous
entretuer entre voisins et éventrer des femmes enceintes. »
Le Rwanda, c'est aussi le symptôme de l'Occident, le
retour d'un vieux refoulé.

Quel refoulé ? Au nom des sauvages d'Afrique, aux
pratiques douteuses, la traite des esclaves décima le
continent de ses hommes pour ensuite les exploiter sur
leur sol et dans leur sous-sol depuis la colonisation, au
nom de la civilisation, du progrès de la science et de sa
technique. Ah oui, la technique de la machette. Et d'où
provenaient-elles ces machettes, si ce n'est de la Chine ?

Et qu'en est-il de cette haine bien refoulée en
moi ? Où dois-je m'arrêter dans mon désir de ven-
geance ? Tout le monde n'est-il pas responsable, ne
serait-ce que par gouvernement élu interposé ? Ceux
qui votent pour des images, sans savoir pour quoi ils
votent, élisant ainsi leurs propres tyrans, tout comme
ceux qui ne votent pas, préférant laisser la responsabilité à l'autre. La fausse innocence de ces bonnes
âmes qui attendent un sauveur pour éradiquer le
mal. Tous des lâches !

L'histoire retiendra que, dans les deux camps au
Rwanda, Hutus tuant Tutsis, la question soi-disant
ethnique n'en était pas une, elle n'était qu'une fiction,
tout comme la tribu ou la nation, une mise en récit,
une histoire mythique, fruit d'un processus très complexe que les colonisateurs et les post-colonisateurs

avaient contribué à polariser, en s'alliant avec une élite locale, tour à tour tutsi et hutu. Ces élites locales, dans une volonté d'appropriation du pouvoir, s'appuyaient sur ce qu'ils estimaient être spécifiques à leur identité : ce qui est en moi, hutu, et qui n'est pas en toi, tutsi, alors que la plupart avaient entremêlé leur sang depuis longtemps.

Il est étrange que, de ma première mission effectuée au Rwanda, peu de temps après la victoire du camp tutsi en juillet 1994, je n'aie gardé qu'un vague souvenir, mis à part le regard vide de la population et les yeux d'acier du président Kagamé. La route conduisant de l'aéroport au célèbre hôtel des Mille Collines était bloquée ; une femme, selon le chauffeur, s'était jetée devant une voiture. Les principales agences des Nations unies revenaient dans le pays pour apporter leur aide, bien en retard, de telle sorte qu'au moment d'être présentés en cohortes au nouveau gouvernement, les onusiens n'étaient pas revêtus de leur panache habituel. Je n'étais pas la seule à me sentir honteuse de l'inertie de la communauté internationale qui n'avait rien voulu savoir de ce génocide pourtant annoncé.

Qu'en est-il ressorti de cette première mission, à part ma vague impression d'une espèce de chaos où chacun courait dans tous les sens pour savoir ce que l'autre pensait faire ? Par où commencer dans ce pays dévasté dont l'air avait l'odeur du soufre ? Et comment se concerter, à défaut de s'harmoniser, entre nous et avec le gouvernement ? Et cette nouvelle langue officielle, décrétée du jour au lendemain, l'anglais, l'idiome du nouveau maître, supplantant le français instauré depuis la colonisation belge... il est vrai que nous ne nous parlions qu'entre élites.

Lors de ma deuxième mission, en juin 1995, j'accompagnais la directrice-exécutrice du FNUAP venue en mission officielle pour les cérémonies de commémoration du génocide. La visite d'un cimetière-musée dans une église non loin de Kigali était programmée, là où les Tutsis s'étaient réfugiés, croyant peut-être que Dieu existait encore. Les crânes d'une centaine de victimes étaient alignés. De beaux discours furent prononcés, Dieu était témoin. Comme toujours, je me tenais en périphérie du groupe, les yeux fuyants, sachant que les crânes exposés auraient pu être ceux des Hutus, ou même le mien. La bête qui réside en nous peut toujours être réveillée.

Dans ma mémoire flottante, je garde le souvenir d'une rencontre avec la femme du président Kagamé, destinée à la sensibiliser à la lutte contre le sida, partiellement sous couvert de la santé maternelle et infantile. Pour la petite histoire, la rumeur circulait que les condoms distribués dans le camp des réfugiés tutsis en Ouganda, d'où partirent les forces armées du commandant Kagamé, étaient empoisonnés. Est-il besoin de rappeler que le mode de production africain repose sur le contrôle de la circulation des femmes, forces productives par excellence, et que l'enjeu de la reproduction demeure crucial en Afrique, malgré la prédominance du capitalisme qui détruit peu à peu toutes formes de collectifs, y compris finalement le mode de production domestique?

Parallèlement au Rwanda, un génocide larvé avait lieu au Burundi, pays voisin ayant une configuration historique, sociopolitique et économique similaire bien que singulière. Combien de morts faut-il pour déclarer un génocide? À la périphérie de la capitale,

Bujumbura, les coups de feu fusaient la nuit pour vaciller lentement à l'approche du jour. Accueillie par deux gardes du corps armés de mitraillettes et par notre employé local, je transportais avec moi un de mes oursons en peluche. À la question posée par l'un des hommes armés sur la nature de cet « objet », je répondis que c'était « mon grigri ».

Quid de cette histoire d'ourson pelucheux sur les lieux d'un crime humanitaire ? À un certain moment de ma thérapie avec Nicole, je fus prise d'un irrésistible désir de m'acheter un ourson, un merveilleux gros ourson beige, original, que seul le plus grand magasin de jouets de New York produisait en exemplaires limités. C'était au temps de Noël, et je sortis fièrement du magasin avec ce bel enfant dans mes bras. Puis il y en eut un deuxième, et un troisième, et toute une série de plus petits oursons. Albert les adopta, les reconnut immédiatement, chacun ayant été doté d'un prénom spécifique. Lors de ses missions à l'étranger, il leur envoyait des cartes postales, s'adressant directement à eux. C'était notre façon de parler d'amour. Les deux enfants que nous étions, déracinés, et en grande carence affective, avaient créé des objets transitionnels pour nous relier comme par un fil, ou plutôt nous retenir, et le rythme avec lequel la famille s'accroissait au cours des années était un bon indicateur de la dégradation de cette relation.

Aux Nations unies, à New York, le monde m'apparaissait comme un simulacre, où des acteurs, qu'ils soient indiens en tunique, africains en boubou, ou nord-africains en djellaba côtoyaient d'autres eux-mêmes en complet-veston, sans compter quelques adeptes de Krishna, en général des femmes, au crâne rasé qui se faufilaient dans la parade. Tout le monde parlait la même langue, la langue onusienne, une sorte d'anglais formaté, codifié, que l'on pouvait aisément copier-coller lors de la rédaction des nombreux rapports. N'est-ce pas d'ailleurs ce que l'on pratiquait sans cesse, du copier-coller des institutions occidentales, pour une meilleure adéquation de leur forme à leur contenu : l'accumulation du capital. En matière de bonnes normes et de discipline des corps, nous, Occidentaux, savions si bien y faire !

Le terme *reingeenering* de l'État, non encore passé dans le vocabulaire commun, sévissait déjà. Dégraissage de l'État, contrôle des corps, mesurés en termes d'efficacité à faire bouger ces choses que sont les hommes. Il fallait énoncer sur un horizon de quatre ans ce qui aurait mis des années à s'accomplir, sans compter qu'on n'utilisait manifestement pas la bonne mesure. Quant à l'impact sur les populations concernées, qui s'en souciait ? Chacun à son niveau balayait dans la cour inférieure, laissant les déchets à l'autre, au bout du compte le petit au bas de l'échelle qui ramassait les débris. Ainsi, en cas d'erreur, le nettoyage pouvait commencer par le bas. Telle était la bonne logique de la gouvernance et de la transparence, ces mots clés du passage logique du capitalisme libéral au néolibéralisme.

La crise du Rwanda intensifia les conflits internes-externes déjà existants dans tous les pays de la région des Grands Lacs, rendant encore plus inextricable la compréhension de la dynamique d'ensemble. Dans le cadre d'une réunion d'urgence commandée par le secrétaire général des Nations unies, où étaient convoqués tous les directeurs-exécutifs d'agence, je fus parachutée (était-ce vraiment un hasard ?) à une réunion de stratégie de concertation pour une sortie de crise. Intimidée sans l'être, je déclinai les sous-thèmes du discours du FNUAP et fis le nécessaire compte rendu des décisions, exercice qui relevait presque de la fiction. J'étais douée pour l'art de la fiction.

J'étais si bien douée que le jour où Ted Turner, sous l'influence de sa femme Jane Fonda, dans un coup de cœur soudain pour les questions environnementales, décida de donner un million de dollars (si je me rappelle bien) au FNUAP, de sorte qu'un concours au sein de la division Afrique fut lancé pour présenter le meilleur projet, je remportai ce concours après avoir retravaillé en toute hâte le projet de santé maternelle et infantile et d'éducation pour les îles Comores. Avec ma copine, médecin spécialiste en santé reproductive, qui cherchait également à se barrer du FNUAP et fantasmait, peut-être elle aussi, de graviter dans la proximité des stars tous azimuts, nous décidâmes de poser notre candidature à la fondation. Nulle réponse ne parvint. Quant au sort du projet, je ne m'en souciais guère, vivant sur le mode d'urgence et n'ayant pas le temps de mesurer la portée de mes initiatives à court terme.

Ce genre de fiction du développement international m'incitait à en rajouter toujours un peu plus, dans une aveugle volonté de mettre de l'ordre dans le désordre. Sans que personne ne me l'ait demandé, je m'investis, en dehors des heures de bureau, dans la conceptualisation d'une stratégie de développement de la population africaine, en articulant les thèmes de production et reproduction selon une grille d'analyse qui interreliait les opérations en fonction du mandat du FNUAP. Sous-jacente à cette belle volonté de maîtrise de l'Afrique, la question non énoncée était : pourquoi le taux de fertilité de l'homme en Afrique dépasse-t-il de loin celui des femmes ? Cet exercice de pure logique, que je présentai aux experts sectoriels, surtout masculins, en disait long sur ma posture féministe, mais il révélait surtout ma manière d'appréhender le monde à travers le discours universitaire : l'homme est une chose.

Avec le recul, le continent noir n'est-il que l'avant-scène de mon image projetée du monde comme immonde ? La réalité d'une Afrique sombrant de plus en plus dans la barbarie, un continent objet livré aux prédateurs locaux et étrangers, représentait le tableau de mon réel. En d'autres termes, la poudrière africaine n'était que l'avant-scène de la poudrière sur laquelle j'étais assise.

En effet, en parcourant aujourd'hui mes agendas de ces années, je suis frappée par toutes ces pages noircies d'urgences familiales : appeler la travailleuse sociale de ma mère ou de mes deux sœurs, retracer de nouveau mon frère, contacter le psychiatre, appeler les policiers pour vérifier si ma sœur aînée était toujours vivante. Je menais plusieurs vies parallèles.

Pourquoi ai-je d'ailleurs conservé tous mes agendas à partir de 1989, l'année où j'étais en Éthiopie ? N'est-ce pas l'année où le père d'une amie intime venait de mourir, cette amie faisant figure de grande sœur idéalisée ? Mon père était lui-même en mauvais état physique et psychique, alternant ses séjours entre l'hôpital et une résidence pour personnes en difficulté. N'est-ce pas cette année-là aussi que mes deux tantes m'informèrent que ma mère présentait tous les signes de la maladie d'Alzheimer ? Je ne voulais pas l'entendre, pratiquant toujours le déni, ignorant par le fait même ce que pourtant ma mère avait quelquefois énoncé : « Je souhaite que Dieu me fasse tout oublier… », entendre sa chienne de vie. Ma mère lâchant prise, toute la structure familiale s'écroulait, et moi de même.

Mon corps, cet objet qui n'existait pas, s'exprimait de plus en plus : difficultés à respirer, à marcher, à avancer, difficultés de concentration, petite crise cardiaque, problèmes de peau, etc. Bref, le corps, déjà vieilli prématurément, sonnait l'alarme.

Comme le réel nous rattrape toujours, tout clochait à tous les niveaux. Mon discours en psychanalyse consistait en une longue jérémiade, une sorte de disque dur : je suis survivante, que puis-je faire ? À qui dois-je m'en prendre ? À Dieu ? demandai-je un jour à Nicole. Et puis, il y eut le souhait de voir la famille disparaître, et moi-même en même temps, mon corps ne devant laisser aucune trace, sorte d'obsession récurrente. Mon éternelle question, comment les gens font-ils pour vivre ? était devenue : comment faire pour continuer à vivre ?

Ce qui me frappe, avec le recul, c'est combien mon discours tournait autour de l'impensable perte de ma mère. En regardant Nicole droit dans les yeux, je répétais souvent « moi, ma mère ne peut mourir ». Un jour, Nicole me fit part de sa décision de laisser sa mère en France pour se marier aux États-Unis. Horreur !

Ma nouvelle prison s'appelait New York. Je ne supportais plus mon travail, n'ayant plus rien à apprendre et ayant tout donné. Observant toujours de haut la grande comédie humaine, dédaignant la majorité de mes collègues qui ne voyaient rien ou ne voulaient rien savoir, il n'y avait plus de place pour la dérision.

Les psychiatres, y compris les soi-disant sommités, ne savaient que calmer un peu mes angoisses, aggravant par leur médication mon image. Quant à ma thérapeute Nicole, qui avait tout de même réussi à faire durer ma relation avec Albert, à me convertir à l'appréciation de la nature — une manière d'être dans le monde —, j'avais le sentiment qu'elle m'avait apporté tout ce qu'elle pouvait donner et que la dette que j'avais contractée, je ne pouvais la rembourser. Nicole m'avait fait un don réel — via son mari — en effaçant la dette financière que j'avais accumulée, ce que j'interprétais comme une réparation symbolique de la dette de la société à mon égard. Elle me dit un jour, sans doute exaspérée par la répétition de mon discours victimaire : « Mon mari et moi te portons à bout de bras depuis longtemps. »

Le mari de Nicole était psychiatre, spécialiste en thérapie de groupe, et toutes les semaines je participais avec quelques-uns des patients du couple à une séance qui avait l'avantage de pondérer mon insécurité affective. Surtout, cette thérapie me permit de nuancer mon clivage entre les « mauvais hommes » et les « bonnes femmes ». Non, le monde des sexes ne se divisait pas exactement selon ces paramètres, certaines femmes me paraissant plus sadiques ou perverses que bien des hommes, et plusieurs de ces hommes se situaient affectivement davantage du côté féminin. Nous avions en commun la peur de l'intimité, bien ressentie du reste, mais pourquoi ? Et puis, le message du groupe à mon endroit m'exaspérait : mettre à distance ma famille, soit, mais comment le pouvais-je ? Je me sentais profondément incomprise.

L'idée d'un retour à Montréal comme pouvant donner un sens à ma vie s'infiltrait peu à peu dans mes représentations, rêvant même de prendre avec moi tous mes dépendants (mon père étant mort). Nicole, qui ne donnait jamais aucun conseil, s'effraya : surtout pas, s'exclama-t-elle. Albert, convoqué à partager cette illusion, donna son accord, malgré notre relation plus que boiteuse. Comment donner corps à ce fantasme ?

J'avais cinquante-trois ans à l'aube de l'an 2000 lorsque j'eus l'opportunité de prendre une retraite anticipée grâce à un nouveau programme des Nations unies, visant à faciliter la préretraite de cas liés à des traumatismes invalidants. C'est d'ailleurs le médecin des Nations unies qui m'informa de la circulaire, estimant que je me qualifiais pour ce programme. Du jour au lendemain, j'accueillis cette information comme un don du ciel, confirmant ainsi à mes yeux que mon corps réel ne valait rien.

CHAPITRE 7

Le désespoir
Montréal 2000-2014

Partir, repartir et repartir encore, sans me rendre compte que je n'avais jamais quitté mon point de départ. Je m'étais enfuie de la famille à seize ans, enceinte, avec mon premier amoureux. En désespoir de cause, nous étions partis à Toronto pour ne plus revenir. C'était en 1962. Et puis, un beau jour, peut-être une semaine ou deux après, j'ai oublié pourquoi, je pris le train de retour, sans destination précise, pour me retrouver dans une chambre de motel ingurgitant une bouteille entière de « 440 ». Je m'écroulai endormie sur le plancher jusqu'au moment où de violentes indigestions me réveillèrent. Mon suicide était raté, j'étais vivante, sans état d'âme, absente à moi-même, encore plus que d'habitude.

J'appelai ma mère, ne l'informant pas de ce qui s'était passé. Elle accourut rapidement et aucune parole, ou si peu, ne fut échangée. C'était comme ça avec ma mère, on se comprenait sans avoir besoin de parler, on vivait dans le ressenti. Ne pouvais-je jamais quitter ma mère, couper le cordon ombilical, le fil qui nous reliait ou, plutôt, que je ne tenais pas à lâcher?

Et c'est à nouveau vers elle que je revenais, le 24 juin 2000, fête nationale de ma terre natale. Me voici, dis-je à ma mère, et je ne repartirai plus. Je vais m'occuper de tout, de toi, de Diane, de Claude et de Mario. Je savais qu'elle m'entendait même si elle n'était plus tout à fait là. J'allais sauver la famille.

Ma mère aussi semblait incapable de me quitter, elle qui avait vécu l'abandon. Issue d'une famille de onze enfants, dont neuf survivants, elle avait perdu sa mère vers l'âge de quatorze ans et avait été placée à l'internat où elle pleurait sans cesse, me rappelait-elle souvent. La mort de sa mère l'avait traumatisée au point qu'elle disait souvent à ses sœurs : « Moi, j'ai perdu ma mère », énoncé pour le moins saugrenu. Pourtant, elle m'imposa le même sort, me laissant au même pensionnat, celui où elle avait tant pleuré, prenant soin d'ajouter «tu ne dois pas pleurer». Et les grandes vacances tant attendues dans l'espoir de la retrouver enfin, espoir toujours déçu car, à chaque fois, j'étais expédiée chez l'une de ses sœurs.

J'ai quatre ou cinq ans, je suis chez ma petite copine d'à côté, une barrière séparait nos deux maisons. Soudain sa mère, revenant du travail, se précipite pour embrasser chaleureusement ses quatre enfants. Ils lui avaient tant manqué, ça se sentait. Et de m'écrier intérieurement : « C'est donc ça une mère? »

En octobre 2006, Yvette, ma mère, mourut au stade fœtal de la maladie d'Alzheimer, comme si elle voulait retourner au sein d'une mère à jamais perdue. Bien que l'ayant accompagnée presque quotidiennement pendant les six années qui ont suivi mon retour au Québec, ce n'est pas avec moi qu'elle choisit de rendre l'âme, mais avec sa petite-fille, la fille de ma sœur Diane, qu'elle avait élevée, laquelle lui donna le dernier baiser, celui de la mort, pour que son âme puisse enfin se libérer.

Si je me reporte au temps d'avant le déclenchement de la maladie de mon père, je me souviens d'une mère qui voulait offrir à ses deux filles ce qu'il y avait de mieux, tel ce cours de diction destiné à corriger notre accent québécois à ma sœur Diane et à moi. Ma mère valorisait l'éducation, elle voulait devenir institutrice, jusqu'à ce que sa vocation dévie après la rencontre de mon père. Issue de la petite bourgeoise commerçante provinciale, ma mère était fière, discrète, toujours élégante, soucieuse de l'apparence de ses deux filles qu'elle désirait bien élevées et impeccables sous tous les aspects.

L'internat pour jeunes filles étant la norme dans le Québec des années 1950, elle allait nous y placer, en me disant « il ne faut pas pleurer ». La veille du départ dans cet internat très éloigné de Montréal, elle m'acheta un bébé chiffon. J'abandonnai le bébé le lendemain dans le tiroir de la résidence du grand-père afin de le préserver du monde, ayant compris que l'amour implique la trahison.

Sans doute ma mère fut-elle dans l'obligation d'aller travailler après l'internement de mon père. Et durant les grandes vacances, ne devait-elle pas prendre soin de ma jeune sœur Claude et de Mario ? Débordée, dépassée par la vie, dépressive (l'ayant toujours été), se rendant compte qu'elle avait épousé un homme psychotique, ma mère ne pouvait que me « lâcher ». J'entends la voix de Nicole : « Elle aurait pu quand même vous garder à la maison, elle aurait pu se remarier. » Que d'horreurs pouvait proférer parfois Nicole, non sans m'avouer qu'il y avait un petit fond de vérité. Oui elle aurait pu mener sa vie de femme, refaire sa vie comme on dit, mais elle choisit de rester au poste de mère, si insuffisante dans le rôle.

Je fus donc lâchée par qui ? C'est la faute de mon père, je l'ai dit. C'est ma version. À preuve, d'où m'est venue l'idée des mauvais hommes ? Les hommes qui lâchent, les hommes lâches, les hommes qui abandonnent ? Cherchez le coupable, et vous tombez sur l'homme. Et pourtant, la quête de l'amour de l'homme fut ma raison de vivre. Et voilà que l'homme avec qui je vivais depuis douze ans, celui avec qui j'avais cru que je finirais ma vie, Albert, me lâchait à son tour.

En débarquant à Montréal en juin 2000, pleine de mes rêves, je tombai dans un véritable cauchemar. La famille au complet s'enfonçait dans la psychose et ma mère dans la maladie d'Alzheimer, sorte de cancer de la mémoire, tout comme la psychose serait un cancer du cerveau. De plus, Albert, censé venir s'établir avec moi, m'abandonnait, trop lâche pour le dire, mais laissant des traces pour que je le découvre moi-même. Comment survivre à ce désastre ?

Du premier amoureux de ma vie d'adolescente jusqu'au dernier, la boucle ainsi se bouclait. Mais le nœud n'était-il pas bouclé depuis longtemps ?

En ce qui concerne mon père, je n'avais pas eu la reconnaissance que je cherchais, ni la voix pour le dire. Pourtant, ce père dont je portais le nom, je m'y étais identifiée, cherchant son regard, l'admirant, et c'est vers lui que je me retournai, enfant, attendant sécurité et amour. Mon père, mon héros, symbole même de la puissance, policier possédant une arme, l'arme de la loi.

Un souvenir des plus anciens fixés sur une photo me rappelle la fierté ressentie lorsque mon père me prit la main, la seule fois. C'était devant l'oratoire Saint-Joseph, j'étais seule avec lui, moi, sa petite fille de quatre ans si fière d'avoir pour une fois mon père à moi. Pourquoi le fameux vol d'arme revient-il avec insistance dans ma mémoire, comme si j'étais encore dans l'attente d'être pardonnée ? Si pardon il y avait eu, j'aurais été innocentée de ma faute. J'aurais pu être fautive, non soumise à la tyrannie de la perfection. Restant là devant lui, immobilisée sur place, accablée avec ma faute non pardonnée, je devais en assumer seule la responsabilité.

Cette faute non pardonnée explique-t-elle pourquoi j'aspirais à devenir sa grande héroïne, mieux, son héros ? Que faire pour racheter ma faute ? De plus grands actes, de grands exploits, voire des crimes ? Quelqu'un me dit un jour que ma mère (ou mon père) souhaitait un garçon comme deuxième enfant, ce que j'avais déjà deviné. Je fus un garçon manqué, choisissant le pantalon alors que ma sœur optait pour la robe. Très tôt, j'avais compris que mieux valait être un garçon dans ce monde.

Un incident vint me convaincre, toujours vers l'âge de quatre ou cinq ans, que les garçons avaient quelque chose de plus que les filles : ma mère s'enferma dans la salle de bains avec un petit garçon en visite à la maison pour «l'aider à faire pipi», selon ses mots. Je frappais de rage à la porte pour voir ce que ma mère m'interdisait de voir, ce qui donna lieu par la suite à une petite fixation qui consistait à devenir (*quel lapsus, deviner*) ce qui se cachait dans le pantalon des petits garçons... et plus tard des hommes. Regards honteux, baisse les yeux devant ce qu'il t'est interdit de voir.

Lorsque j'appris la naissance de Mario, mon frère cadet de dix ans, j'entrai dans une folle rage intérieure. Me sentant doublement trahie, j'essayai de me suspendre par les pieds au moyen d'une corde nouée à la tête du lit, dans la cellule du couvent où j'étais internée avec les folles religieuses, question d'expier ma faute. Très jeune, je pratiquais l'art dramatique.

Je fis pendant longtemps le même cauchemar : un homme me courait après, j'étais exposée à un immense danger... fort heureusement, je me réveillais avant qu'il puisse m'attraper. Serait-ce moi qui courais après mon père pour le soumettre à mon désir ? Fantasmes de séduction du père ?

Force est de constater qu'un grand destin de séductrice m'attendait, Mata Hari n'est-elle pas la séductrice-espionne par excellence ? Pour survivre, je m'inventai un petit scénario, ce dont je m'avise aujourd'hui : les hommes ? rien dans la tête, tout dans le pantalon — petit scénario pour me défendre d'être une femme qui ne vaut rien. Mieux vaut ne pas dévoiler au lecteur un tableau de chasse qu'aurait pu envier Georges Simenon, question de pudeur. La terreur du Cameroun avait déjà un long passé de «pourchasseuse» de phallus, ce symbole de la puissance, et un moins grand avenir, il va sans dire, cette chasse à l'homme ayant pris fin d'ailleurs avec Albert et le vieillissement du chasseur-chassé.

Près de trente années de thérapie, et surtout de psychanalyse, pour me déprendre de mes illusions de l'homme idéal, l'homme qui viendrait me compléter comme en témoigne ma lettre du Cameroun, soit le super lion rencontrant *la* femme, synthèse de toutes les femmes. Le lion serait-il la lionne? Tous ces coups de griffe enfoncés dans la plaie ouverte d'un cœur déjà saignant auront servi à quoi? À tenter de réparer l'irréparable, la terrible douleur de l'enfant lâché.

Père, pourquoi m'as-tu abandonnée?

Hôpital psychiatrique Saint-Jean-de-Dieu, Montréal, début des années 1950. Première visite à mon père.

L'image que j'ai gardée de Saint-Jean-de-Dieu est celle d'un tableau religieux de l'enfer déjà vu, ou peut-être l'ai-je composé moi-même, ce tableau montrant des condamnés à mort aux visages épouvantés, hurlant, les bras s'agitant, tentant de s'agripper aux murs pour échapper aux flammes. Et mon père, là-dedans, pleurant et suppliant ma mère qu'elle le sorte de là, et moi, figée d'effroi, les yeux rivés au sol, coupable de ne pouvoir sauver mon père de l'enfer, à cet âge de l'enfance que l'on dit raisonnable.

La trame de ma vie, sauver mon père, celui qui fut enlevé, enfermé, torturé, est une trame réécrite par moi. Mon père représentait le pouvoir, et ce pouvoir au-dessus de mon père était injuste. Corps de mon père enlevé par le corps policier corrompu du Québec dans les années 1950, corps enfermé dans l'immense village de fous qu'était Saint-Jean-de-Dieu, autre scandale dans l'histoire de la grande noirceur au Québec. Cet hôpital était une prison immense où l'on circulait en wagons pour aller d'une aile à l'autre. Corps torturé par les électrochocs répétitifs, dont les détails m'étaient fournis par ma mère. Trame de ma représentation du monde comme immonde, dont le tragique du Rwanda est là pour attester, à une échelle et dans une forme encore plus barbare. Ce que j'avais anticipé du devenir de l'Afrique, dès la fin des années 1970, la barbarie, s'est bien réalisé et s'étend à grande échelle et je n'ose écrire ce que je pressens de l'Occident. Notre regard est construit et préconstruit, soit, mais il y a des regards moins obscurs.

Qu'au niveau universitaire je me sois intéressée aux coups d'État militaires en Afrique et en Amérique latine n'est certes pas une coïncidence. Que je me sois attaquée par la suite à l'ensemble de la structure du pouvoir en Afrique était d'une bonne logique, tout comme l'était la rédaction de ma thèse de doctorat sur le bord d'une piscine en Haïti, où mon amoureux libanais millionnaire m'avait transportée dans ses bagages, accompagnée de la tonne de documents nécessaires à cette rédaction.

Je rêvais d'autant plus ma vie, tout en travaillant sur le traumatisme des autres, que je m'étais retrouvée enceinte à l'âge de seize ans, accouchant d'un garçon qu'il me fallut abandonner sous la pression d'un système social où toute fille-mère était considérée comme une putain ou, pour le dire avec plus de pudeur, une névrosée inapte à élever son enfant. Le Québec avait toujours une très belle âme en cette année 1963, encore sous l'emprise de l'Église.

La question de l'abandon, réelle ou vécue psychiquement, se répétait dans cette famille qui se reproduisait systématiquement tous les vingt-deux ans : ma mère, née en 1922, sa fille aînée, ma sœur Diane, en 1944, la fille de celle-ci, en 1966, et le fils de cette dernière en 1988, lequel a heureusement échappé à ce terrible sort. Mon fils est également né un 22 (décembre) et je l'ai retrouvé lorsqu'il venait d'avoir vingt-deux ans. L'inconscient sait bien chiffrer.

Dans cette histoire familiale de folies et d'abandons, j'avais décidé, après ma tentative de suicide qui avait suivi l'abandon de mon fils, précédé de mon abandon par son père, que mieux valait vivre comme un homme pour survivre : accumuler les aventures tout comme on accumule les trophées de chasse. Le chien pouvait se travestir en chienne d'amour au gré des passions de l'âme, ce qui n'était pas incompatible pour celle qui savait depuis toujours que l'amour n'existe pas, tout en ne cessant d'y rêver.

Qu'est-ce qu'un chien ? Je suis née sous ce signe chinois, chien de feu, qui plus est, chien fou de son maître, guettant ses moindres signes, vibrant à ses émotions, devinant et anticipant ses états d'âme. Ce chien, j'allais le retrouver sur le divan lors de mon retour à Montréal, ayant trouvé son maître-psychanalyste, comme on dit maître-chien. C'est à son regard que je l'ai reconnu, au-delà de ses lettres de créance, cet homme qui avait une âme : «l'âme… Prendre l'autre pour son âme… l'âme comme unité du corps imaginaire[1] ». Et ce fut en me racontant des histoires de bébés chiens, d'oursons, de lionceaux, de pandas et autres *animaleries* du genre qu'il me fit pleurer, moi qui n'avais jamais versé une larme. La grande guerrière voulait rendre son âme en même temps que sa mère rendait la sienne. Un chien est fidèle à mort, ça se sait.

Histoire de contentions, histoire de folies, histoire d'abandons, mon histoire est une histoire d'efface-ment de traces. Ne jamais se retourner, tel était mon leitmotiv : pas de photos, pas de souvenirs, laissant presque tout derrière, traversant ainsi le monde comme un zombie. D'aventure en aventure, de port en port, et d'homme en homme, pendant mes vingt-cinq années de vie à l'étranger où j'ai couru à travers une bonne partie de l'Afrique, celle qui avait vécu si intensément une vie hors pair et hors père posa alors la vraie question à son psychanalyse : qu'est-ce que vivre veut dire ?

---

1. P. Naveau, « Les hommes, les femmes et les semblants », *La cause freudienne*, nº 76 (« *Le désir du psychanalyste* »), 2010, p. 162.

CHAPITRE 8

Entre-temps et avec le temps

Parler de mon vécu présent est encore plus difficile que de parler du passé. Pourtant, n'ai-je pas toujours parlé au passé présent ? Saisir l'instant vécu est impossible, l'heure, encore plus difficile. Je vis au jour le jour, mais je ne suis jamais là tout à fait où je suis. Quant à mes nuits, je suis bien là : mon mal intérieur s'agite lorsque l'heure de s'abandonner au lit approche, il tourbillonne, soulevant parfois une tempête d'anxiété, sinon d'angoisse.

Je me suis levée ce matin le dos barré, en me disant « je suis le sujet barré de Lacan ». Qu'aurait dit Lacan d'un sujet souffrant d'une entorse lombaire ? Ne plus vouloir se lever, se relever, se redresser toujours et encore, tel Sisyphe condamné à remonter son rocher ? Mais qu'est-ce qui m'oblige à remonter le rocher de plus en plus lourd, quelle jouissance à la limite mortifère j'y trouve ? Ne pas être perdue de vue par l'Autre, le lieu du langage ? Une demande

sans fin / faim qui, ne pouvant se réaliser, rejoue inlassablement le même petit jeu mortifère. Je fume, je
fume, je fulmine contre moi-même, je ne cesse de
tourner autour du même vide. Entre la suspension
de mon désir et ma suspension au désir de l'Autre,
je n'arrive pas à trouver un équilibre stable.

Mon squelette parle, il craque dans toutes ses
jointures. J'anticipe même les maux du corps avant
qu'ils adviennent. Une quatrième opération du genou,
toujours le même, le « je-nous » droit, m'attend sans
doute. Ici je me tiens et je me suis toujours tenue,
mais je ne peux savoir si je m'y tiendrai longtemps,
dis-je à celle qui est entrée dans ma vie, Liv, une
Allemande-Norvégienne d'origine.

Mes moments d'évasion, mon temps de vacances,
se passent au cimetière Notre-Dame-des-Neiges, en
face de chez moi, les fenêtres de mon appartement
donnant directement sur le parc. C'est l'un des plus
grands et des plus beaux cimetières au monde, avec
un parc forestier contenant plus de cinq mille trois
cents arbres, dont une soixantaine d'espèces dites
nobles, tels que l'érable de Norvège, le pommier de
Sibérie et le peuplier de Lombardie. Sont-ils le fruit
d'une longue attention ? Je poursuis ma lecture du
dépliant, une centaine d'arbres sont antérieurs à 1854,
date de l'établissement du cimetière. C'est sur ces
vieux arbres blessés que mon regard se porte, ceux
décrépits ou malades.

Dans la partie du cimetière consacrée aux artistes,
il y a un arbre que l'on vient d'abattre. Vidé de sa
pourriture intérieure, il n'en reste plus qu'un tronc
vide. L'autre adjacent va-t-il survivre longtemps ? Sa
peau est écorchée, une sorte de plaie jaune-verdâtre

le ronge de la base jusqu'au centre. Il a déjà perdu beaucoup de branches.

Liv : Oui, mais regarde, les écureuils y font leur nid, les ratons-laveurs, ces petits bandits masqués, peuvent y grimper dès qu'ils aperçoivent un humain.

Mon frère Mario, poète depuis l'âge de seize ans, en connaît un bon bout sur les petits animaux qui ont choisi de vivre avec les morts. Les quelques fois où j'ai réussi à l'extirper de l'appartement où il vit avec des voix qui lui parlent, j'ai pu constater que le cimetière des artistes l'apaise un peu, malheureusement pas pour longtemps. Comme si la chose qui l'a terrifié toute sa vie n'était pas suffisante, il a fallu que deux cancers (leucémie et cancer d'estomac) fassent irruption ces dernières années pour compléter son tableau. La chose non identifiable est meurtrière.

Mon frère pense que le monde est de plus en plus fou, ce que j'approuve, la preuve étant qu'entre toutes les instances impliquées dans la gestion du corps de mon frère — santé mentale, physique, secteur social — avec ses multiples branches non arrimées les unes aux autres, chacun s'occupant de sa petite parcelle sans avoir le temps de consulter le gestionnaire d'une autre parcelle (rentabilité / outputs obligent), il y a plusieurs points de rupture dans le continuum des services. Je coordonne ces points de manque pour éviter que mon frère s'écroule totalement ou s'évapore dans son délire. Pas étonnant qu'ils soient de plus en plus nombreux ces psychotiques à errer dans la ville.

De l'époque de mon père, celui du grand enfermement des fous dans un village, à celle de mon frère, où les fous sont laissés plus ou moins à eux-mêmes dans la cité, on est en droit de constater que le Québec ne connaît pas les demi-mesures. Nous sommes à l'heure de l'individu souverain et de la liberté de chacun d'assumer sa folie, déclenchée, ou non encore, dans un monde de plus en plus virtuel.

Comment calmer mon angoisse face à un monde de plus en plus fou, face surtout à la mort-déjà-presque-là de mon frère. Serai-je capable de lui tenir la main jusqu'au dernier moment? Terreur aussi de vieillir seule et malade dans ce Québec où les partis politiques se sont acharnés à déconstruire le système de santé sans trop le dire, sachant que la population s'oppose à la privatisation de ce bien public tout comme à celle du secteur social et de l'éducation. Nous nous enfonçons dans la logique de la privatisation des gains et de la collectivisation des pertes. Je me sens de plus en plus comme le grand sociologue Pierre Bourdieu, qui disait, avant sa mort, « plus je vieillis, plus je veux prendre les armes ».

Un jour, par association d'idées, je dis à mon cher psy : « Je vais vous tuer », ayant déjà compris que je m'adressais à un Autre. Et puis, je suis revenue, en admettant, à mon corps défendant, que si on peut tuer le maître, on ne tue pas l'esclave. L'esclave deviendra maître à son tour ou élira un autre maître. Et je lui ai adressé cette injonction : « Ne touchez pas à ma mère. » Le transfert en psychanalyse est-il un délire sur l'amour?

Ma psychanalyse s'est jouée sous la forme d'un duel Freud contre Lacan — Lacan, *of course*, étant moi. Duel asymétrique, j'aurais dû me douter que Freud allait toujours déjouer mes plans. Devant le constat de sa grande imagination, je le renommai Freud-Winnicott (F. W.) Voici un exemple de son art d'apprivoiser une lionne féroce à qui, de surcroît, on veut enlever ses petits, en l'occurrence ce qu'il reste de ma famille. D'abord, présentez-lui l'image d'un lion, elle sera subjuguée, l'empruntera, puis la rendra à votre retour, pressentant peut-être que le lion, c'est elle. Viendront ensuite les petits animaux inoffensifs pour l'amadouer, ensuite les petits enfants jouant avec les lions, qu'ils tiendront même affectueusement dans leurs bras. À ce stade, elle s'attardera longtemps. Il faudra la déloger avec de petites abeilles. Vous introduisez graduellement votre fille, parlant d'elle comme s'il s'agissait d'elle, tout en faisant de vagues références à votre femme. Ne vous inquiétez pas, elle ne posera pas de trop de questions personnelles, n'étant pas empressée de grandir.

Liv : Ton psy t'a donné quatre pandas… si on les ajoute aux petits chiens et aux grands ours déjà là, cela doit bien faire au total onze peluches. Quand vas-tu les remorquer au musée pour que je prenne enfin ma place dans ton lit?

Devoir de mémoire, si je ne veux pas perdre la tête comme le reste de la famille, j'ai intérêt à fouiller mes souvenirs. Ma mémoire s'y oppose, elle résiste, c'est trop d'éprouvés. Les dates se confondent. Je cherche dans mes vieux passeports et agendas des points de référence.

Prendre mes morts pour repères : d'abord mon père, 9 septembre 1991, ma mère, 9 octobre 2006, puis ma sœur Diane, 9 avril 2009. Trauma après trauma, la mort de Diane, je n'ai pu l'admettre. Diane, ma sœur dans l'abandon, celle que je réclamais dans mon désespoir lorsque j'emménageais dans ma villa en Mauritanie.

Diane est morte à soixante-cinq ans, défigurée par un cancer de la mâchoire, tout comme Freud. À sa naissance, ma mère s'était exclamée : « Elle n'est pas belle. » Diane se révéla une beauté dotée d'une grande intelligence. Elle était la fille de son père, en révolte permanente contre ma mère. À dix-sept ans, nos chemins se séparèrent, Diane s'enfermant dans son monde pour toujours, après avoir eu trois enfants qu'elle dut abandonner, à l'exception de Nathalie, que ma mère rescapa, le père s'étant bien sûr barré. C'est fort heureux que Nathalie ait pu l'accompagner les trois derniers mois de sa vie, car je n'aurais pu tenir cette place, moi qui l'avais trahie en la faisant interner contre son gré, par deux fois, dans le même hôpital psychiatrique que mon père. Elle ne me l'a jamais pardonné, jamais. Les quelques lettres d'amour et de soutien que je lui avais adressées ne furent jamais ouvertes.

J'ai raté ma dernière rencontre avec ma sœur aînée, tout comme ce fut le cas avec mon père et ma mère. C'était un an avant sa mort. Sachant que Diane avait peur des chiens, j'arrivais avec Cachou, pensant, comme par magie, l'inciter à adopter un chien dont l'amour inconditionnel l'aiderait à survivre, cloîtrée qu'elle était avec des irruptions de voix qui la persécutaient. Nous dûmes repartir, Cachou et moi. Le jour de sa mort, contrairement à mon père et à ma mère, je ne pus écrire d'homélie.

> *Il s'appelait Cachou, mon petit animus, le seul chien qui perdait la voix et qui ne voulait pas être vu lorsqu'un humain s'approchait de sa cage à l'asile de chiens, allant se tapir au fond : « plutôt mourir ici », disait cette œuvre d'art, un lhassa apso à la robe ivoire,*

argent et or. Cachou n'était pas n'importe qui, c'était
une âme, mon divin chien-chien, même si, longtemps
après sa mort, je l'appelais mon condensateur de jouis-
sance. Osons le dire : sa mort, irréparable, me fit plus
de peine que celle d'un être humain.

Cachou est mort le 17 juin 2010, ce fut comme
si le monde s'écroulait. Diane, le 9 avril 2009, empor-
tant avec elle une part de moi-même, celle de mes
souvenirs d'enfance et d'adolescence, cette boîte noire
de ma vie. Pourquoi est-elle devenue psychotique, et
moi pas ? S'était-elle trop approchée de mon père ?
Insondable décision de l'être.

Liv : Je te rappelle que le destin n'est pas écrit
d'avance, il subit nécessairement une petite torsion. Tu
résistes toujours à reconnaître ta part de responsabilité
dans ton symptôme. Mieux vaut être une innocente
victime, c'est la faute de l'Autre, c'est toujours à cause
de l'Autre, parental et sociétal.

Je connais la différence entre le mal-être et le
désêtre. Ma sœur Claude est l'image vivante de la
mélancolie, cette maladie de l'âme, comme on l'appelait, l'âme noire, ténébreuse, enfermée dans une
douleur sans parole. Je ne connais rien de ma sœur
Claude. Comment le pourrais-je alors qu'elle a toujours vécu dans le silence, cette enfant qui n'a jamais
souri, encore moins ri, comme il m'est arrivé de le
faire, rire d'un fou rire.

Claude, la plus belle et la plus talentueuse de
mes sœurs, précocement littéraire, au corps parfait
que dessinaient les apprentis peintres, prêtant son
visage aux photographes, se prêtant elle-même à qui
voulait bien s'occuper d'elle. D'année en année, je

la vois se dessécher comme si elle tentait de disparaître. Anorexique et peut-être souffrant de la maladie d'Alzheimer, que signifie survivre pour elle ? Qui sont les vraies victimes dans cette tragédie familiale ? N'en suis-je que le témoin direct, après tout ? Claude faisait du théâtre avant de sombrer elle aussi dans la schizo-paranoïa.

Si mes yeux sont tristes, tout comme mon regard usé d'en avoir trop abusé, il n'y a pas de vie dans ceux de Claude. Il y a très longtemps, je l'aperçus un jour marchant dans la rue, les yeux baissés comme si elle était un déchet. Arrêt du cœur, je sais fort bien que ma mère souhaitait avorter de ma sœur et de mon frère. Tout laisse croire que Claude fut agressée sexuellement à l'âge de quatorze ou quinze ans. Je fis cette découverte en consultant ses deux gros dossiers médicaux à l'hôpital. Je feuilletai le premier tome et le refermai brusquement. Ne pas en savoir plus pour ne pas m'écrouler. C'est dans ce même hôpital où elle avait été traitée pour une polynévrite que Claude cria sa vérité à ma mère « tu ne m'as jamais aimée ». Je sortis de la chambre pour me cacher et crier ma douleur en silence.

Je referme encore aujourd'hui son dossier. Je résiste. Je suis une résistante à trop de souffrances en moi et autour de moi.

Liv : Rappelle-toi, tu as déclaré sur le divan : comment puis-je transformer ce désastre familial en quelque chose de positif ? Le petit peu que je peux donner, voilà le sens de ma vie, as-tu déclaré. Pourquoi es-tu si triste de ce petit peu que tu as toujours donné ? N'as-tu pas fait le deuil de tes fantasmes de toute-puissance, qui te reviennent sous forme de culpabilité ?

C'est Cachou, mon petit chien-chien qui devint le catalyseur de toutes mes souffrances, je l'ai dit. J'avais hérité de Cachou lors d'un internement de mon frère à la suite d'une pneumonie causée par un antipsychotique dont les effets secondaires n'avaient pas été divulgués. Il aura fallu sept pneumonies avant que le psychiatre en soit prévenu. J'avais donc trouvé Mario physiquement très malade, décompensé, dans un appartement des plus délabrés. Une fois Mario interné, j'emportai le piteux Cachou avec moi. Cachou se retrouva rapidement en position de maître et moi d'esclave. Cachou, métaphore de l'amour, qui me signifia un jour, lui aussi, que son heure était venue, qu'il était temps de partir à son tour.

> *S'il arrivait que je devienne faible et fragile,*
> *Que la souffrance me tienne en état de veille*
> *Le moment venu*
> *Feras-tu ce qui doit être fait*
> *Pour cette dernière bataille*
> *Celle qui ne peut être gagnée ?*
> *Tu seras triste, je le sais*
> *Surtout ne laisse pas l'amertume t'envahir*
> *Car en ce jour plus que tout autre*
> *Ton amour, ton amitié, doivent me soutenir.*
> *En souvenir de toutes ces années heureuses*
> *Que la souffrance ne doit plus ternir.*
> *Le moment venu*
> *Je t'en prie, accepte qu'il soit temps*
> *Pour moi de partir.*
> *Accompagne-moi vers ce havre de paix*
> *Là où toute souffrance disparaît*
> *Me parlant, me rassurant*

Jusqu'à ce que mes yeux se ferment à jamais.
Le moment venu
Je sais que tu comprendras
Que cet ultime geste envers moi
Est le plus grand.
Souviens-toi seulement
Lorsque te semblera cruelle mon absence
Que toi seul pouvais m'épargner
De pires douleurs et souffrances.
Le moment venu
Tu as fait ce qu'il fallait
Et si tu pleures, sois sans regrets
Pour ce chemin de vie partagé
Dans l'affection et dans l'amitié[1]

Ainsi parla Cachou le moment venu.

Cachou, qui fut battu et abandonné à l'asile des chiens… Cachou, c'est aussi mon petit bébé chiffon laissé dans un tiroir avant mon abandon à l'internat. Cachou est aussi cet enfant qui pleure en moi et qui pleure un enfant que j'ai réellement abandonné.

Mon psy n'a jamais cessé de répéter que la vie est un deuil. Soit, ce qui n'est pas arrivé n'adviendra pas. À la question posée récemment « à quoi servez-vous ? » sa réponse fut simple « à vous accompagner dans les deuils à venir », celui de mon frère Mario, celui de ma sœur Claude et celui de ma tante Pauline, qui fut une figure de mère substitut. Le deuil de l'enfant abandonné avait eu lieu à mon insu. Certaines blessures peuvent se cicatriser, mais le corps en gardera la mémoire. Il n'oublie jamais, ce corps réel. À l'instar

---

1. Anonyme : Compagnons Éternels, <www.papilio.ca>.

de l'arbre, certaines branches tomberont, son écorce se sera lézardée, autant d'entailles ou de sillons d'une vie toujours crûment marquée. Ses racines, déjà fragiles, ne lui auront jamais permis de s'élancer fièrement vers le ciel, il restera courbé, sa vulnérabilité étant irrémédiable.

Le jour où je décidai de m'allonger sur le divan pour raison de culpabilité, sans même savoir ce à quoi je me référais, ce fut pour demander à Freud-Winnicott (F. W.) : parlez-moi, parlez-moi encore et encore. Racontez-moi n'importe quoi, mais racontez. Comme une abandonnique ne s'abandonne jamais tout à fait, je fis référence à cette phrase de Paul Ricœur, comme si je voulais baliser une piste. Citant de mémoire : « Je ne le vois pas dans la nuit mais je l'espère… et puis, suis-je dans l'espérance ? » Je n'ai d'autre choix que de tenir la main de mes semblables. Dans la nuit des temps, Dieu le père, le créateur ultime est espéré. Était-ce une confirmation de ma volonté de vivre dans l'espérance — ni espoir et encore moins certitude — que toutes les souffrances sur terre ont une raison d'être, raison à laquelle l'être humain n'aura jamais accès ? Avais-je dépassé le seuil du « plutôt ne pas être né » de mon discours traditionnel, réalisant qu'après tout j'y trouvais tout de même des plaisirs à la vie ?

Et ce jour inoubliable où je proclamai fortement vouloir entendre ma voix, insistant. Apparut alors, accroché au mur, le visage d'un Africain aux yeux percutants, vous transperçant, vous interpellant. Deux grandes lignes verticales encadrent les bords de son visage, traçant ainsi les contours d'un arbre, symbole phallique par excellence. Bien sûr, je n'ai nulle certitude que ce tableau fût une commande de F. W. à mon intention. Je choisis de pratiquer la charité interprétative. À moins que ce ne soit l'inverse.

Plus je parlais, plus je découvrais que ça parlait en moi. Voulant comprendre cette disjonction, je fis appel à Lacan : le je n'existe pas, mes pensées sont des représentations, et quant à mon petit moi que je souhaitais grand moi, c'est un lieu d'illusions, de fantasmes. Idées essentielles à retenir, surtout lorsque je découvris que les mots avaient une connotation sexuelle. Je m'entends dire à F. W. : « Freud et Lacan me mettent des idées dans la tête, je vais consulter Dolto. » Devant l'insistance de F. W. à parler de sexualité, F. G. répondit un jour qu'elle avait connu le point G, sous-entendu, je ne suis pas la frigide à laquelle vous faites allusion.

Je me relevai pour passer au fauteuil. Une autre surprise m'attendait, moi qui entendais diriger la cure : un long vase vide était déposé aux pieds de mon psy. Je m'empressai d'y ajouter des fleurs de peur qu'un autre patient s'exécute avant moi. Une fois rempli de fleurs séchées, le vase fut déplacé, la séance d'après, dans la salle d'attente adjacente à son bureau, longtemps à demi caché par une table haute, jusqu'à ce que celle-ci soit remplacée par une table basse, mettant ainsi en évidence mon vase aux fleurs séchées. J'en déduisis que je progressais dans mon analyse.

Et encore, et encore. J'alternais entre fauteuil et divan selon des états d'âme que F. W. semblait appréhender mieux que moi. Je lui avais tendu ma carte de visite : survivante. Il m'avait tendu un portrait : une petite fille de quatre ans s'avançant seule dans la forêt. Tout avait déjà été dit, restait à le mettre en mots.

«Il faut dépasser le tragique par le comique», une autre injonction adressée à mon psy. Qu'à cela ne tienne. F. W. est un grand comédien, me racontant des histoires invraisemblables auxquelles je croyais dur comme fer, tout comme les enfants veulent croire aux contes. Puis, une fois rentrée à la maison, de réaliser, dans un grand éclat de rire, que je m'étais fait la dupe. C'était la manière de mon psy de me parler d'amour.

Comment dire l'impossible à dire? Se faire parler par F. W. me permettait d'attraper des bouts de moi-même, de mettre des mots sur mes bobos, de panser et de penser mes plaies. Ses longs moments de silence me frustraient, il m'arrivait alors de quitter brusquement la séance. Impossible de répertorier toutes les manœuvres, qu'elles soient langagières ou visuelles, qu'il a déployées avec une patience et une persévérance telles que le clivage entre le psychanalyste et l'homme se réduisit peu à peu : le psychanalyse existe toujours, mais doublé d'un homme réel, et celui-ci m'intéresse plus que celui-là.

Pour me préserver de son emprise, je me mis à l'étude des féroces concepts de Lacan, ce génial logicien formaliste, dont l'un des mérites est de s'être confronté à la question du féminin (à distinguer de l'Autre maternel), le continent noir chez Freud. La logique, je n'y renoncerai jamais, c'est mon ossature pour ne pas être hors champ. Départager le vrai du faux et des non-dits, verbaux ou non verbaux, de F. W. n'était pas une mince affaire. Il me fallait maîtriser l'art du déchiffrage, celui de l'interprétation.

L'enjeu de ma plongée dans Lacan, qui se poursuit, si elle est une forme de résistance à mon analyse, est aussi une jouis-sens du savoir, ce qui m'a toujours caractérisée. De savoir quoi ? Que suis-je ? Je ne suis pas psychotique comme le reste de la famille, j'ai des re-pères, ce dont j'étais pourtant convaincue. Alors pourquoi pleurer d'émotion lorsque F. W. me donna en cadeau les *Études sur l'hystérie* de Freud et Breuer ? La crainte de l'hystérique n'est-elle pas la folie, par contraste avec l'obsessionnel vivant plus sous l'emprise de la mort ? Le vrai enjeu est un enjeu réel : comment ne pas devenir folle, étant seule à assumer la fonction paternelle et maternelle auprès de mes trois dépendants dans un contexte où les services sociaux dépérissent, tout comme moi. Nous sommes en plein dans le politique dont je suis très affectée.

Quand apparaissait ma tante Pauline dans ma jeunesse, un éclair filtrait dans le ciel orageux qui planait sur ma tête. Venant toujours à la rescousse de ma mère tout comme de ses autres sœurs, les soutenant dans leurs maladies, celle qui n'avait pas eu d'enfant avait une affection particulière pour l'enfant docile que j'étais. Son dévouement infaillible, que ce soit pour me donner un répit durant la longue maladie de ma mère ou pour m'accueillir lors de mes réhabilitations postopératoires, a fait de ma tante un havre, un refuge. Et puis, frappée comme quatre autres de ses sœurs par la même maladie de la mémoire, bien que plus tardivement, ce pilier de ma vie s'écroule à son tour, venant réactiver cet horrible spectre qui semble affecter les gens malheureux. Une autre mort impensable en perspective.

1972 : Une image me revient en tête, une image du désert du Sahara, où je suis au beau milieu. C'était à Chinguetti, du haut de la vieille forteresse, je contemplais l'horizon au-delà de la palmeraie, aux sons des « youyous » des mauresques : j'ai ressenti un instant d'infinité.

Liv : Future morte, c'est le temps de te ressaisir. N'as-tu pas ton ange gardien, F. W., qui veille sur ton « âme » ? Tu te souviens du film que tu lui as donné il y a longtemps, c'était *L'âme en jeu*[2], où tu te voyais dans le rôle de Sabina Spielrein et lui dans le rôle de Jung ?

F. G. : C'est vrai. Ce gardien imaginaire de mon âme fut même promu au rang d'archange, l'archange Michel. Drôle de hasard, à mon cimetière Notre-Dame-des-Neiges, il y a, à mi-hauteur de la colline, dans un cadre fleuri, bien aménagé, derrière une fontaine, trois dalles funéraires, chacune couronnée d'un archange, et au centre de la dalle figure le nom d'une personne surplombant les autres noms distribués latéralement. La dalle du centre est celle de l'archange Michel, et, y est inscrit à la place centrale, le prénom d'un honorable juge, Michel... C'est le prénom de mon psy. À sa gauche, l'archange Gabriel, sans nom pour occuper la place centrale ; il se trouve que c'est le nom de l'endroit où je suis née. Pour clore la trilogie, l'archange Raphaël, avec, au-dessous, le prénom de ma mère, Yvette. Je veux bien croire, un moment, à un signe de Dieu. Pour rajouter à ce débordement de sens, tout juste à l'entrée du cimetière, une grande stèle portant l'inscription de Sévère Godin

---

2. Film de R. Faenza, 2004.

vous accueille. J'en ai fait mon aïeul, puisque je per-sévère.

Liv : Je te prends à rêver d'être la femme de Dieu, la folle mystique dont tu te moques. Revenons à Michel D., ton véritable psychanalyste, qui tente de te séparer de ta mère, comme tu le sais, cette opéra-tion, ça s'appelle la castration, soit le deuil d'une complémentarité imaginaire de l'Autre. En réalité, il ne manque rien. Carpette, lève-toi et regarde les choses en face. Cesse de jouir de tes fantasmes et arrime-toi plus à ton corps réel qui paie le prix de ce décollage imaginaire : tu vois mal, tu entends mal, tu manges mal et, depuis que tu écris, ta dermite sous les pieds s'est étendue aux mains. Ça parle. C'est toi qui as dessiné mon portrait, celui d'une hystérique, à partir d'une identification pathologique à moi, et voilà que tu t'échappes à ton désir.

F. G : Oui, je sais, ma mère symbolique, comme je l'appelais dans mon homélie. Et je sais que le soi-disant archange Michel D. (ça sonne M. D.), celui sommé de calmer le diable (en moi), n'est plus à la place du maître où je l'avais mis. Ce n'est pas pour rien qu'il a nommé sa femme, elle s'appelle Diane, comme ma sœur aînée morte, elle est artiste-peintre, ancienne comédienne, sachant à peu près tout faire, d'après mes déductions. C'est elle qui dessine les tableaux, non signés, qui appa-raissent / disparaissent dans son cabinet. Elle est d'ailleurs jolie (j'ai vu sa photo sur internet), plus jeune que lui qui vient d'avoir soixante-dix ans. Bref, nul espoir. La vie est injuste.

Liv : Tu as manifesté le souhait d'être là jusqu'au bout pour tenir la main de ta tante, de ton frère et de ta sœur, le moment venu. Ton psy te sert de support après ta traversée des fantasmes.

F. G. : J'ai rêvé récemment que je me retrouvais côte à côte dans un lit avec F. W. Un grand chien nous séparait. Pas de rapport sexuel. Mon psy est un grand amoureux des chiens, il possède d'ailleurs un golden retriever, chien de l'amour par excellence.

Liv : Ne sois pas si triste, tu fais maintenant de l'*acting-out* à l'école lacanienne de Montréal avec un autre sujet supposé savoir, grand comédien lui aussi.

F. G. : L'école sera mon laboratoire d'expérimentation sociale, une manière de faire lien social autrement, au lieu de prétendre jouer le maître dans le lien social, ce qui suppose une autre écoute que celle pratiquée jusqu'ici. Tu es mon témoin-gardien dans cette nouvelle aventure.

Ma mère souhaitait que je fasse de *la* politique. Je me suis plutôt dirigée vers *le* politique, la science du pouvoir. Huit mois avant sa mort, en 2006, j'étais parmi les membres fondateurs du nouveau parti qui se créait au Québec, issu du regroupement de la gauche traditionnelle et des mouvements associatifs et communautaires, Québec solidaire. Deux porte-parole nous représentent, issus de ces deux milieux, un homme et une femme.

Québec solidaire est notre espoir collectif, rassemblant autour des grandes valeurs de la gauche, y compris le féminisme (de gauche) et l'écologie, tous ceux qui partagent un idéal de démocratie, fonctionnant non plus au profit de quelques-uns, les plus riches, mais pour une majorité s'appauvrissant sans cesse et excluant du système un nombre croissant de jeunes surtout. Si la gauche se renouvelle quelque part, c'est bien au Québec, qui a déjà fait une révolution tranquille, rappelons-le.

Que ce soit au niveau des structures du parti, de son mode de fonctionnement ou de ses pratiques, l'idée de faire de la politique autrement n'est pas un slogan. Ne nous donnez pas carte blanche, répètent nos porte-parole maintenant députés. Les associations communautaires et coopératives sont là pour tempérer l'ardeur et l'impatience de l'aile issue de la gauche traditionnelle du Québec. Le parti a survécu à la crise engendrée par le pavé dans la mare que lança le pouvoir, la fameuse question des accommodements raisonnables (entre les néo-Québécois et les Québécois de souche — *sic*). Que veut dire être québécois ? Qu'ont en commun les Québécois de la riche ville de Westmount et ceux des autres « secteurs » pauvres de Montréal. En exacerbant la crise identitaire sociétale, selon la plus vieille recette politique, diviser pour régner, un véritable défi était lancé à notre jeune parti, toujours qualifié d'utopiste par la droite radicalisée actuellement triomphante. Que ce parti subsiste et persiste dans le contexte de la création d'un nouveau parti à l'extrême droite donne de l'espoir.

Cameroun 1984 : Je ne savais rien des pygmées, ceux qui vivent (vivent-ils encore ?) dans la forêt à l'est du Cameroun, à part qu'ils avaient la réputation de s'enfuir dès qu'ils voyaient un Blanc et même un non-pygmée. Je comprenais cependant leur résistance à ces vrais civilisés. Les pygmées forment la société la plus démocratique et solidaire du monde, y compris dans le rapport hommes-femmes même si une division des tâches (non rigide) existe. Pourquoi ne voulaient-ils pas de la

nourriture que j'allais leur proposer, celle du Programme
alimentaire mondial en l'occurrence, dont le package
comprenait de l'huile, des boîtes de conserve (sardines,
par exemple), du lait en poudre, du riz, bref tout ce dont
ils manquaient? Même pas le temps de leur demander,
ils s'enfuyaient, ne désirant point être «réhabilités» et
sédentarisés. Ce qui constitue la force de la société pygmée,
sa grande cohésion et son harmonie relative, est en même
temps son talon d'Achille : l'étranger n'y est pas admis
même avec ses plus beaux cadeaux.

Je me sentais près des petits pygmées africains,
si agiles à grimper dans les arbres et préférant courir
en toute liberté dans la forêt, elle-même appelée à
disparaître. Les survivants qui restent seront-ils
domestiqués par les pouvoirs en place, mis dans des
petites cases, bien numérotés? Ont-ils encore une
marge de manœuvre pour résister? Ne suis-je pas
comme beaucoup d'autres petits pygmées d'ici ou
d'ailleurs, qui, ayant refusé de «grandir», sont
condamnés à une extinction plus rapide?

ÉPILOGUE
Contretemps

De tous ces lieux parcourus à la couleur d'un temps recomposé, à travers ma traversée dans des espaces-temps enchevêtrés d'affects des plus contradictoires, je n'ai eu de cesse de chercher les causes de mon mal de vivre, tout comme celles du Mal collectif. En reprenant le fil premier de ce témoignage, le regard de mon père, ce que j'y ai vu de mortifère et de la mortification dont il fut l'objet, étendu par la suite à l'échelle d'un village, marqua mon regard sur l'homme et sur le monde d'une inquiétante étrangeté. Le tableau de Saint-Jean-de-Dieu, véritable représentation de l'enfer à une époque où les antipsychotiques n'existaient pas, ne cessa de me hanter. De la tentative de suicide (Montréal), à la confrontation avec la mort (Sao Tomé), jusqu'au visionnement des crânes (Rwanda), sans compter les risques et périls auxquels je me suis exposée, la mort a toujours été présente à ma vie.

Il est significatif que l'homélie à mon père ait tourné autour de son regard : «tu n'étais pas un homme de la parole mais du regard...», et se soit terminée par «ferme tes yeux, nous allons ouvrir les nôtres». Ces phrases témoignent de la lourde dette dont je m'étais affligée, rétablir la raison du père. Il n'est pas anodin non plus que du peu d'objets laissés en héritage par ma mère, je n'aie gardé que ses lunettes et le petit chien en peluche qu'elle tenait serré contre elle, chien que je lui avais moi-même donné.

Lunettes-écran pour me protéger du mal, lunettes des fantasmes avec lesquelles j'ai projeté mon regard sur l'Afrique, cherchant là ou ailleurs ce regard et cette parole qui aurait pu me compléter, dieu-le-père n'était jamais au rendez-vous. Aussi dans ce petit jeu de trompe-l'œil à répétition où je m'offrais à la capture du désir de l'Autre, je n'avais plus le courage d'exister.

À l'instar du masque africain qui dissimule l'acteur au service d'une représentation, je n'étais personne.

Désir insatisfait, désir s'éteignant, l'analyse m'a permis de découvrir et d'apprivoiser une enfant inconnue, terrifiée et terrifiante, aux prises avec un rêve de séduction du père pouvant la rendre maître de ses désirs. Devant un tel impossible, elle ne pouvait lâcher la mère, ultime rempart contre sa détresse, au cas où les choses tourneraient mal. L'enfant tout-puissant qu'elle rêvait d'être dans ce bas monde a dû faire bien des deuils, celui d'un père mythique et d'une mère symbolique pour se libérer comme femme, sachant mieux y faire avec son symptôme et renonçant au rêve d'Amour absolu. Ce véritable voyage de ma vie, s'il fut douloureux, était le prix à payer pour ne plus courir après des chimères.

Si la vérité ne peut qu'être mi-dite (elle a structure de fiction), il existe cependant des certitudes : que le génocide du Rwanda a bien eu lieu tout comme tant d'autres, que les guerres, qu'elles soient internationalisées, régionalisées ou localisées se perpétuent. Si petite soit sa marge de liberté, l'homme peut cesser d'être la victime, le petit chien ou la marionnette du désir de l'Autre ce qui implique de renoncer à sa passion de l'ignorance pour garder intacts ses secrets interdits les plus refoulés. La passion de l'ignorance est toujours passion d'amour et de haine.

Cette nécessité de renoncer à son triangle de passions pour se révolter individuellement et collectivement en se saisissant du pouvoir de la parole est d'autant plus urgente que, survivants, nous sommes de plus en plus nombreux à le devenir, à des rythmes différents et selon les lieux, sans compter les déjà errants.

Qui plus est, à cette époque où la survie de l'espèce humaine est menacée par les manipulateurs du langage, jouant des identifications imaginaires par hiérarchies interposées pour accaparer le pouvoir politique afin de promouvoir un capitalisme débridé, broyant tous les collectifs sur son passage, y compris même la famille, unité de base du social, utilisant les technosciences pour accroître son efficacité, les individus isolés, inscrits de plus en plus dans un monde virtuel, s'acheminent pas à pas vers une folie collective sous l'injonction d'une seule loi, celle d'une jouissance qui n'a plus de barrière et ne cesse de répéter : jouis à mort de tes objets, y compris l'être lui-même[1]. L'humanité va-t-elle perdre son âme ?

---

1. M. Mesclier, «Le risque de vivre», intervention au musée Bonnat, Bayonne le 13 février 2009. Disponible sur internet. Cet article brosse une excellente synthèse de la complexité de tous ces liens.

Annexe

Chronologie

1971-1973 **Mauritanie** : assistante-administrative, mission d'élaboration du plan de développement du pays, CRDE / université de Montréal / Programme des Nations unies pour le développement (PNUD).

1974-1976 **Montréal** : baccalauréat en science politique.

1977-1979 **Bénin** : professeur et conseillère, techniques administratives, collège universitaire Abomey Calavi, Agence canadienne de développement international.

1980-1981 **Montréal** : université du Québec à Montréal, maîtrise en science politique ; scolarité de doctorat en science politique, université de Montréal.

1981-1983 **Haïti** : rédaction thèse de doctorat ; recherches au Bénin ; quelques conférences à l'université de Port-au-Prince.

1984 **Montréal** : doctorat en science politique, université de Montréal.

1984-1987 **Cameroun** : chargée de projets puis représentante par intérim, Programme alimentaire mondial, Nations unies.

1988 **Sao Tomé et Principe** : représentante du Programme alimentaire mondial.

1989 **Éthiopie** : chargée de projets, Programme alimentaire mondial.

1990-2000 **New York** : administrateur de programmes, Fonds des Nations unies pour la population : Ghana, Togo, Liberia, Congo, Bénin, Sierra Leone, Nigeria (1990-1994) ; Angola, Mozambique, îles Comores, Madagascar, Rwanda, Burundi (1994-2000).

1991 **Montréal** : mort du père.

2006 **Montréal** : mort de la mère.

Table des matières

Éditions Liber
2318, rue Bélanger, Montréal, Québec, H2G 1C8
Téléphone : 514 522-3227 ; Télécopie : 514 522-2007
site : www.editionsliber.com ; courriel : info@editionsliber.com

Achevé d'imprimer en novembre 2014,
sur les presses de Marquis
Montmagny, Québec